DISTURBO BORDERLINE DI PERSONALITÀ

effetto, suggerimenti e soluzione

Alberto Pinguelli

Tabella dei contenuti

INTRODUZIONE AL DISTURBO BORDERLINE DI PERSONALITÀ

Il problema della personalità borderline (BPD) è un disturbo della mentalità e di come un individuo comunica con gli altri. È il problema di personalità più generalmente percepito ed è stato riconosciuto come una scoperta ufficiale nel 1980.

Le prime forme del DSM, prima del quadro di diagnosi multiassiale, raggruppavano la grande maggioranza con problemi di benessere emotivo in due classi, gli psicotici e gli scoraggiati. I clinici notarono una classe specifica di persone avvilite che, quando erano in emergenza, sembravano attraversare il confine con la psicosi. Il termine "problema di personalità borderline" è stato creato nella psichiatria americana negli anni 60. Si è trasformato nel termine preferito rispetto a vari nomi contendenti, per esempio, "disturbo instabile di carattere" durante gli anni '70. Il problema di personalità borderline è stato ricordato per il DSM-III (1980) nonostante non sia stato percepito come un'analisi sostanziale.

Il problema di personalità borderline è il problema di personalità più ampiamente riconosciuto in ambito clinico. È disponibile nel 10% delle persone trovate in strutture di benessere psicologico ambulatoriale, nel 15%-20% dei ricoverati mentali, e nel 30%-60% delle popolazioni cliniche con un problema di personalità. Succede in un 2% previsto di tutti. Il problema di personalità borderline è analizzato in modo schiacciante nelle donne, con una proporzione di orientamento sessuale prevista di 3:1. Il disturbo è presente nelle società di tutto il mondo. È all'incirca più volte progressivamente regolare tra i familiari naturali di primo grado di coloro che hanno il disturbo che in tutti. C'è anche un rischio familiare più prominente per i disturbi legati alle sostanze, il disturbo antisociale di personalità e i disturbi dell'umore.

Gli individui hanno varie prospettive sul BPD/EUPD, e tende ad essere una conclusione discutibile. Tuttavia, in qualunque modo comprendiate i vostri incontri, e qualunque termine vi piaccia utilizzare (ammesso che esista), la cosa significativa da ricordare è che i sentimenti e le pratiche legate al BPD/EUPD sono estremamente difficili da vivere, e meritano comprensione e sostegno.

Tutto sommato, qualcuno con un problema di personalità varierà fondamentalmente da un individuo normale per quanto riguarda il modo in cui la persona in questione pensa, vede, sente o si identifica con gli altri in quanto è collegato con alti ritmi di condotta inutile (ad esempio, tentativi di suicidio) e suicidio finito. L'elemento fondamentale del problema della personalità borderline è un esempio inevitabile di insicurezza delle connessioni relazionali, delle influenze e della visione mentale di sé, così come l'impulsività controllata. Questi attributi iniziano dalla prima età adulta e sono disponibili in un assortimento di impostazioni.

L'articolo chiarisce cos'è il problema di personalità borderline (BPD), altrimenti chiamato problema di personalità depressa (EUPD), le potenziali cause, gli effetti collaterali, il trattamento, i consigli per aiutare se stessi e la guida per amici e familiari.

COS'È IL DISTURBO BORDERLINE DI PERSONALITÀ?

Il Manuale Diagnostico e Statistico dei Disturbi Mentali [DSM-IV] registra il Disturbo Borderline di Personalità come una conclusione mentale e lo caratterizza come un'influenza inquietante e prolungata della personalità. Adolph Stern ha utilizzato il termine nel 1938 per raffigurarlo poiché si trova al confine tra la nevrosi e la psicosi.

Si tratta di un vero e proprio problema della psiche che porta le persone colpite a nutrire una paura paralizzante di essere abbandonate da un amico o da un membro della famiglia. L'individuo colpito mostra una mentalità d'attacco che gli fa mostrare una gamma sconcertante di sentimenti che vanno dalle glorificazioni come l'adorazione e l'amore straordinari alla svalutazione, per esempio, il grave fastidio e l'avversione all'interno di una limitata capacità di focalizzare il tempo. Un tale individuo mostra sconvolgimenti di ferocia che portano a maltrattamenti verbali e fisici contro gli altri. Leggono l'importanza in piccole questioni e personalizzano le questioni che risultano essere così incredibilmente permalose da non poter continuare le connessioni familiari o quelle dell'ambiente di lavoro.

Il disturbo borderline di personalità (BPD) è una condizione caratterizzata da problemi di gestione dei sentimenti. I sentimenti possono essere imprevedibili e muoversi improvvisamente, specialmente dall'entusiastica romanticizzazione al fastidio sdegnoso. Questo implica che gli individui che sperimentano il BPD sentono i sentimenti fortemente e per periodi di tempo più ampi, ed è più diligente per loro tornare a uno standard costante dopo un'occasione sinceramente attivante.

La precarietà dello stato d'animo nel Disturbo Borderline di Personalità porta a una condotta instabile, a una scarsa immagine mentale di sé e a un carattere contorto, il che porta alla separazione sociale. Il grado di insoddisfazione può essere alto al punto da spingere all'autolesionismo di vario tipo, a tentativi di suicidio e a volte a suicidi fruttuosi. Lo straordinario sentimento di debolezza li rende bisognosi d'amore e li spinge all'indiscriminazione sessuale e all'abuso di sostanze. Il tasso di separazione è alto per i rari tipi di persone che si sposano e non hanno cercato un'assistenza competente alla luce della loro incessante incapacità di gestire i loro sentimenti.

Negli Stati Uniti, circa il 2% degli adulti, generalmente femmine [75%], ne sperimenta gli effetti negativi ed è responsabile del 20% delle affermazioni mentali nelle cliniche di emergenza. Le ultime ricerche propongono che gli uomini potrebbero essere influenzati in modo simile dal BPD, ma sono regolarmente diagnosticati erroneamente con PTSD o scoraggiamento. Le ragioni del Disturbo Borderline di Personalità, come numerose altre infermità, sono state accreditate a variabili naturali ed ereditarie. In ogni caso i fattori inclinanti sono uno sfondo segnato dalla divisione da persone enormi fin dall'inizio della vita quotidiana, storia di maltrattamenti fisici e psicologici, dal 40 al 71% riporta un passato pieno di maltrattamenti sessuali da parte di una figura non genitoriale. Le scoperte esplorative in corso hanno collegato il Disturbo Borderline di Personalità alla guida disabilitata dei circuiti neurali che modulano le emozioni.

L'amigdala, una parte del cervello, è un pezzo di questo circuito neurale. L'inizio del disturbo potrebbe essere in preadolescenza o nell'età adulta giovanile. I fattori scatenanti per l'accelerazione di questo problema incorporano incidenti orribili come la cattiveria di tipi assortiti, l'aggressione, l'abuso di liquori e l'abuso di sostanze che possono indurre impulsività, scarsa visione mentale di sé, connessioni burrascose e reazioni entusiastiche estreme ai fattori di stress. La lotta con l'autodisciplina può anche portare a pratiche pericolose, per esempio, l'autolesionismo.

Gli individui con BPD saranno in generale molto delicati. Alcuni lo descrivono come se avesse un nervo scoperto. Piccole cose possono scatenare risposte straordinarie. Inoltre, quando si è disturbati, si ha difficoltà a calmarsi. È chiaro come questa imprevedibilità passionale e l'incapacità di auto-rilassarsi provochino disordini nelle relazioni e comportamenti imprudenti, persino stupidi. Nel momento in cui siete in preda a sentimenti travolgenti, non riuscite a pensare bene o a rimanere con i piedi per terra. Puoi esprimere cose terribili o comportarti in modi rischiosi o sbagliati che ti fanno sentire responsabile o imbarazzato qualche tempo dopo. È un ciclo straziante da cui può essere difficile uscire. Tuttavia, non lo è affatto. Ci sono potenti farmaci per il BPD e attitudini di adattamento che possono aiutarvi a sentirvi bene e a tornare a capo delle vostre considerazioni, sentimenti e attività.

Il problema di personalità borderline (BPD), altrimenti chiamato disturbo di personalità emotivamente instabile (EUPD), è un disadattamento psicologico descritto da una lunga serie di modelli di relazioni instabili, un sentimento di sé deformato, e risposte entusiastiche forti. C'è regolarmente l'autolesionismo e diversi comportamenti pericolosi. Quelli influenzati possono anche combattere con un sentimento di vuoto, paura di rinunciare e separazione dal mondo reale. Le manifestazioni possono essere attivate da occasioni ritenute ordinarie per altre persone. Il comportamento inizia normalmente entro la prima età adulta e si verifica in un assortimento di circostanze. L'abuso di sostanze, il dolore e i problemi alimentari sono normalmente collegati al BPD.

La tipica mentalità disforica di queste persone è frequentemente punteggiata da indignazione, frenesia o disperazione ed è solo raramente alleviata dalla prosperità. Queste scene potrebbero essere attivate dalla reattività oltraggiosa della persona ai fattori di stress relazionale. Le persone con questo problema hanno anche regolarmente sentimenti costanti di vuoto. Molti sperimentano un'indignazione indecorosa ed eccezionale o hanno problemi a controllare il loro risentimento. Per esempio, possono perdere la calma, provare fastidio costante, avere turbamenti verbali o partecipare a battaglie fisiche. Questo risentimento potrebbe essere attivato dal loro riconoscimento che un individuo notevole è disattento, trattenuto, implacabile, o arrendevole. Le articolazioni dell'indignazione potrebbero essere seguite da sentimenti di malevolenza o da sentimenti di disgrazia e colpa. Durante i periodi di pressione dell'oltraggio, queste persone possono andare incontro a ideazione diffidente transitoria o a manifestazioni dissociative estreme (per esempio, depersonalizzazione). Gli individui con questo problema hanno inoltre alti ritmi di problemi di co-comparsa, per esempio, tristezza, problemi di disagio, abuso di sostanze e problemi alimentari, oltre all'autolesionismo, pratiche autodistruttive e suicidi finiti.

STORIA DI DISTURBO BORDERLINE DI PERSONALITÀ

La compresenza di stati d'animo straordinari e disparati all'interno di un individuo è stata percepita da Omero, Ippocrate e Aretaeus, l'ultimo dei quali descriveva la vicinanza vacillante di risentimento imprudente, tristezza e follia all'interno di un individuo solitario. L'idea fu ripristinata dal medico svizzero ThéophileBonet nel 1684 che, utilizzando il termine foliemaniaco-mélancolique, descrisse la meraviglia degli stati d'animo insicuri che seguivano un corso insolito. Diversi autori notarono un esempio simile, tra cui il terapeuta americano Charles H. Hughes nel 1884 e J. C. Rosse nel 1890, che chiamò il disturbo "follia borderline". Nel 1921, Kraepelin riconobbe una "personalità eccitabile" che corrisponde intensamente ai punti salienti borderline illustrati nell'attuale idea di BPD.

Il primo lavoro psicoanalitico critico ad utilizzare l'espressione "borderline" fu composto da Adolf Stern nel 1938. Ritraeva un gruppo di pazienti che sperimentavano quello che lui pensava essere un tipo gentile di schizofrenia, al confine tra lo sconforto e la psicosi.

Gli anni '60 e '70 hanno visto un passaggio dal pensare alla condizione come schizofrenia borderline a considerarla un disturbo affettivo borderline (disturbo dell'umore), ai margini del problema bipolare, ciclotimia e distimia. Nel DSM-II, concentrandosi sulla potenza e l'incostanza degli stati d'animo, è stato chiamato personalità ciclotimica. Mentre l'espressione "borderline" si stava sviluppando per alludere a una particolare classe di disturbo, gli psicoanalisti, per esempio Otto Kernberg, la utilizzavano per alludere a una vasta gamma di problemi, raffigurando un livello medio di associazione di personalità tra ansia e psicosi.

Dopo la creazione di criteri istituzionalizzati per distinguerlo dai disturbi dell'umore e dai diversi problemi dell'Asse I, il BPD si è trasformato in una conclusione del problema di personalità nel 1980 con la produzione del DSM-III. Il disturbo fu distinto dalla schizofrenia sub-sindromica, che fu chiamata "disturbo schizotipico di personalità". Il gruppo di lavoro dell'Asse II del DSM-IV dell'Associazione Psichiatrica Americana si stabilì infine sul nome "disturbo borderline di personalità", che viene usato ancora oggi dal DSM-5. Nonostante ciò, l'espressione "borderline" è stata ritratta come notevolmente carente per descrivere i sintomi caratteristici di questo disturbo.

CAUSE DEL DISTURBO BORDERLINE DI PERSONALITÀ

Non c'è una motivazione inconfondibile dietro al perché alcune persone sperimentano le sfide legate al BPD. Un numero maggiore di donne riceve questa diagnosi rispetto agli uomini, tuttavia può influenzare gli individui di tutti i generi considerati e di tutte le provenienze.

Analogamente ad altri problemi di benessere emotivo, le ragioni del disturbo borderline di personalità non sono completamente comprese. La maggior parte degli esperti di salute mentale/scienziati accettano che il disturbo borderline di personalità (BPD) è causato da un mix di fattori come componenti naturali acquisiti o interni, elementi ecologici esterni, per esempio, incontri orrendi in gioventù, elementi sociali incorporano come gli individui comunicano nel loro miglioramento iniziale con la loro famiglia, compagni, e altri bambini. I componenti mentali incorporano la personalità e la disposizione della persona, le capacità di adattamento sul metodo più abile per gestire la pressione. Questi vari fattori insieme raccomandano che ci sono diversi componenti che possono aggiungere al disturbo, e sarebbero esaminati sotto;

- • **Corso di genetica**

Alcune prove suggeriscono che il BPD potrebbe avere una ragione ereditaria, dato che siete destinati a ricevere questa scoperta nella remota possibilità che qualcuno nella vostra famiglia vicina l'abbia ugualmente ottenuto. Potrebbe essere acquisito o inequivocabilmente collegato ad altri disordini psicologici tra parenti. Di conseguenza, i geni che acquisisci dai tuoi genitori possono renderti progressivamente impotente contro lo sviluppo del BPD.

È possibile che sia inclusa anche una combinazione di fattori, ma la genetica può rendervi progressivamente indifesi contro la creazione del BPD e spesso a causa di incontri di vita angoscianti o orribili che queste vulnerabilità si attivano e si trasformano in un problema.

L'ereditabilità del BPD è stata valutata al 40%. Cioè, il 40% dell'incostanza nel rischio fondamentale del BPD nella popolazione può essere chiarito dai contrasti ereditari. Le indagini sui gemelli possono sovrastimare l'impatto delle qualità sulla mutevolezza del problema della personalità a causa della variabile convolgente di una condizione familiare reciproca. In ogni caso, gli specialisti di questo esame hanno argomentato che il problema della personalità "sembra essere più fortemente influenzato dagli effetti genetici di quasi tutti i disturbi dell'asse I [ad esempio, il disturbo bipolare, la depressione, i disturbi alimentari], e più della maggior parte delle ampie dimensioni della personalità". Inoltre, l'indagine ha visto che il BPD è stato valutato come il terzo problema di personalità più ereditabile tra i 10 problemi di personalità controllati. Gemelli, parenti e altri studi familiari dimostrano un'ereditarietà frazionata per l'animosità impulsiva, ma le indagini sulle qualità legate alla serotonina hanno raccomandato solo contributi umili al comportamento.

Le famiglie con gemelli nei Paesi Bassi erano membri di un esame continuo di Trull e soci, in cui 711 set di parenti e 561 tutori sono stati analizzati per riconoscere l'area delle caratteristiche ereditarie che hanno influenzato il miglioramento del BPD. I partner della ricerca hanno scoperto che il materiale ereditario sul cromosoma 9 era collegato ai punti salienti del BPD. Gli specialisti hanno presunto che "i fattori genetici giocano un ruolo importante nelle differenze individuali delle caratteristiche del disturbo borderline di personalità". Questi scienziati equivalenti avevano già dedotto in un rapporto passato che il 42% della varietà nelle caratteristiche del BPD era deducibile da impatti ereditari e il 58% era dovuto a impatti naturali. Le qualità sotto esame a partire dal 2012 incorporano il polimorfismo a 7 ripetizioni del recettore della dopamina D4 (DRD4) sul cromosoma 11, che è stato collegato alla connessione confusa, mentre l'impatto consolidato del polimorfismo a 7 ripetizioni e il genotipo 10/10 del trasportatore di dopamina (DAT) è stato collegato a variazioni dalla norma nel controllo inibitorio, entrambi noti punti salienti del BPD. C'è una potenziale associazione con il cromosoma.

Quindi, i fattori genetici possono contribuire alla causa del disturbo borderline di personalità.

Occasioni di vita stressanti o orribili

Nel caso in cui si ottiene questa determinazione si è più probabile di un gran numero di persone di aver avuto incontri fastidiosi o orribili crescendo, per esempio, spesso sentendo apprensivo, agitato, non supportato o negato sfide familiari o instabilità, per esempio, vivere con un genitore che ha un abitudine sessuale, maltrattamenti fisici o psicologici o disinteresse perdere un genitore.

Nella remota possibilità che tu abbia avuto incontri giovanili problematici come questi, essi possono averti fatto creare specifiche tecniche di adattamento, o convinzioni su te stesso e sugli altri, che possono rivelarsi meno utili col tempo e causarti problemi. Potresti anche lottare con sentimenti di indignazione, paura o infelicità.

Si può anche incontrare il BPD senza avere alcuna storia di occasioni di vita orribili o sconvolgenti, o si possono avere diversi tipi di incontri problematici. Nel caso in cui si sperimenti fin d'ora una parte di queste sfide, a quel punto l'incontro con la pressione o la ferita da adulto potrebbe esacerbare la situazione.

Anomalie cerebrali.

Alcune esplorazioni hanno dimostrato cambiamenti in territori specifici del cervello impegnati con il sentimento di orientamento, l'impulsività e l'ostilità. Inoltre, alcune sostanze chimiche del cervello che aiutano a dirigere la disposizione, per esempio la serotonina, potrebbero non funzionare correttamente. Si pensa che numerosi individui con BPD abbiano qualche tipo di problema con le sinapsi nel loro cervello, specialmente la serotonina.

I neurotrasmettitori sono "prodotti chimici messaggeri" utilizzati dalla vostra mente per trasmettere segnali tra le sinapsi. Gradi modificati di serotonina sono stati collegati alla malinconia, all'ostilità e ai problemi di controllo dei desideri rovinosi.

Allo stesso modo c'è poi Problema con lo sviluppo del cervello, i ricercatori hanno utilizzato la risonanza magnetica per contemplare i cervelli di individui con BPD. Gli esami a raggi X utilizzano campi attrattivi solidi e onde radio per creare un'immagine punto per punto del corpo.

Le scansioni hanno scoperto che in numerosi individui con BPD, 3 parti del cervello erano più piccole del previsto o avevano gradi non comuni di movimento. Queste parti erano: l'amigdala - che assume un lavoro significativo nella gestione dei sentimenti, in particolare i sentimenti più "negativi", per esempio, paura, ostilità e nervosismo, l'ippocampo - che dirige la condotta e discrezione la corteccia orbitofrontale - che è impegnata con organizzazione e dinamica.

Problemi con queste parti del cervello possono anche aggiungere effetti collaterali del BPD; il miglioramento di queste parti del cervello è influenzato dalla vostra infanzia iniziale. Questi pezzi della tua mente sono inoltre responsabili per la linea guida del temperamento, che può rappresentare una parte dei problemi che gli individui con BPD hanno nelle connessioni accoglienti.

Ci sono numerose cose stupefacenti che accadono nel cervello del BPD e gli analisti stanno ancora cercando di capire cosa tutto ciò implichi. Sia come sia, fondamentalmente, nel caso in cui tu abbia il BPD, il tuo cervello è ad alta cautela. Le cose ti sembrano più sorprendenti e sgradevoli di quanto non lo siano per gli altri. Il tuo interruttore di battaglia o fuga è inciampato senza sforzo, e una volta che è acceso, si impadronisce del tuo cervello giudizioso, attivando i sensi di resistenza grezzi che non sono costantemente adatti alla circostanza corrente.

Inoltre, un certo numero di concentrazioni di neuroimaging nella BPD hanno annunciato scoperte di diminuzioni in locali del cervello impegnati con la guida delle reazioni allo stress e la sensazione, influenzando l'ippocampo, la corteccia orbitofrontale, e l'amigdala, tra i diversi territori. Poche indagini hanno utilizzato la spettroscopia a riverbero attraente per indagare i cambiamenti nei raggruppamenti di neurometaboliti in alcuni distretti cerebrali di pazienti BPD, dando un'occhiata ai neurometaboliti, per esempio, N-acetilaspartato, creatina, miscele legate al glutammato, e composti contenenti colina.

Alcune indagini hanno distinto la materia grigia espansa in zone come l'area motoria supplementare bilaterale, il giro dentato e il precuneo bilaterale, che si estende fino alla corteccia cingolata posteriore bilaterale (PCC). L'ippocampo sarà in generale più piccolo in individui con BPD, per quello che vale in individui con disturbo post-traumatico da stress (PTSD). In ogni caso, nel BPD, in contrasto con PTSD, l'amigdala inoltre sarà in generale più piccolo. Questo movimento anormalmente solido può chiarire la qualità non comune e la durata della vita di terrore, problemi, indignazione e vergogna sperimentata da individui con BPD, nella regolazione delle loro emozioni e risposte allo stress.

Fattori ambientali;

Varie variabili ambientali sembrano essere normali e trasversali tra gli individui con BPD. Queste includono: essere una vittima di maltrattamenti entusiastici, fisici o sessuali, essere presentato a lungo terrore o dolore come un bambino essere trascurato da uno o due genitori crescere con un altro parente che aveva una vera e propria condizione di benessere psicologico, per esempio, disturbo bipolare o un problema di abuso di alcol o farmaci.

La relazione di un individuo con i suoi genitori e la sua famiglia ha un impatto su come vede il mondo e su ciò che accetta degli altri.

Il timore incerto, l'indignazione e la miseria dell'adolescenza possono indurre un assortimento di disegni di deduzione adulti malformati, per esempio, idealizzare gli altri, aspettarsi che gli altri siano un genitore per te, anticipare che gli altri debbano minacciarti portando avanti come se gli altri fossero adulti e tu sicuramente non lo sei.

Numerosi individui con disturbo borderline di personalità riferiscono di aver incontrato occasioni di vita terribili, per esempio, abusi, rinunce o difficoltà durante l'adolescenza. Altri possono essere stati presentati al temperamento, alle connessioni confutanti e agli scontri antagonisti. Nonostante il fatto che queste variabili possano costruire il rischio di un individuo, ciò non implica che l'individuo svilupperà il disturbo borderline di personalità. Allo stesso modo, ci potrebbero essere individui senza questi fattori di rischio che creeranno un problema di personalità borderline nel corso della loro vita

- Trauma infantile;

C'è una solida connessione tra l'abuso infantile, in particolare il maltrattamento sessuale dei bambini, e l'avanzamento del BPD. Numerose persone con BPD riportano uno sfondo segnato da abusi e disprezzo da bambini piccoli, tuttavia la causalità è ancora discussa. I pazienti con BPD sono stati visti come del tutto destinati a riferire di essere stati verbalmente, interiormente, veramente, o esplicitamente maltrattati da tutori di entrambi i sessi. Essi riportano anche un alto tasso di consanguineità e di perdita di figure genitoriali durante la loro infanzia. Le persone con BPD sono state anche suscettibili di riferire di avere tutori di entrambi i sessi che precludono la legittimità di rivendicare le loro contemplazioni ed emozioni. I tutori hanno anche risposto di aver trascurato di dare la sicurezza richiesta e di aver respinto la considerazione fisica dei loro figli. Ai tutori di entrambi i sessi è stato normalmente risposto di essersi allontanati dal bambino sinceramente e di averlo trattato in modo conflittuale. Inoltre, le donne con BPD che annunciavano una storia passata di disprezzo da parte di una figura genitoriale femminile e di maltrattamento da parte di un tutore maschile erano fondamentalmente destinate ad aver subito maltrattamenti sessuali da una figura non genitoriale.

È stato raccomandato che i bambini che sperimentano incessantemente l'abuso precoce e le sfide di connessione possono procedere a creare un problema di personalità borderline. Scrivendo nel costume psicoanalitico, Otto Kernberg sostiene che l'incapacità di un giovane di compiere l'impresa formativa della spiegazione chiaroveggente di sé e dell'altro e l'incapacità di battere la separazione può costruire il pericolo di costruire una personalità borderline.

- Esempi neurologici;

La forza e la reattività dell'affettività negativa di un individuo, o l'inclinazione a provare sentimenti negativi, predice le indicazioni del BPD più fermamente di quanto non faccia il maltrattamento sessuale giovanile. Questa scoperta, i contrasti nella struttura cerebrale e il modo in cui alcuni pazienti con BPD non riportano una storia terribile raccomandano che il BPD è inconfondibile dal disturbo post-traumatico da stress che spesso lo accompagna. Su questa linea, gli specialisti analizzano le cause formative nonostante le lesioni infantili.

La ricerca pubblicata nel gennaio 2013 da Anthony Ruocco presso l'Università di Toronto ha caratterizzato due esempi di movimento cerebrale che possono essere alla base della disregolazione del sentimento dimostrato in questo momento: azione espansa nei circuiti mentali responsabili per l'esperienza di agonia appassionata sollevata, combinato withdecreased iniziazione dei circuiti cerebrali che ordinariamente controllo o soffocare questi sentimenti agonizzanti creati. Questi due sistemi neurali sono ritenuti impiegabili in modo difettoso nel quadro limbico, ma le aree particolari si spostano generalmente nelle persone, il che richiede l'indagine di più studi di neuroimaging.

Inoltre (in contrasto con gli effetti delle indagini precedenti) i malati di BPD hanno dimostrato meno attuazione nell'amigdala in circostanze di emotività negativa espansa rispetto al gruppo di riferimento. John Krystal, direttore editoriale del diario Biological Psychiatry, ha composto che questi risultati "[aggiunto] alla sensazione che gli individui con un problema di personalità borderline sono 'impostati' dai loro cervelli per avere una vita passionale tempestosa, nonostante il fatto che non sia una vita veramente travagliata o inefficiente"]. La loro instabilità entusiastica è stata trovata associata a contrasti in alcuni distretti mentali.

- Autocomplessità

La natura multiforme del sé, o il pensare che il proprio sé abbia un'ampia gamma di attributi, può diminuire l'ovvia disparità tra un sé reale e un ritratto mentale ideale del sé. Una natura auto-multiforme più elevata può portare un individuo a volere più attributi piuttosto che attributi migliori; se c'è la convinzione che le qualità avrebbero dovuto essere procurate, queste potrebbero essere destinate ad essere vissute come modelli invece che considerate come caratteristiche teoriche. L'idea di uno standard non include realmente la rappresentazione delle caratteristiche che parlano allo standard: la cognizione dello standard può includere solo la comprensione del "somigliare", una connessione solida e non una qualità.

- Problema di personalità e vergogna;

Quando i clinici parlano di "personalità", stanno alludendo agli esempi di ragionamento, sentimento e comportamento che rendono ognuno di noi diverso. Nessuno si comporta sempre allo stesso modo, ma in generale collaboriamo e ci relazioniamo con il mondo in modi veramente affidabili. Questa è la ragione per cui gli individui sono regolarmente ritratti come "timidi", "amichevoli", "attenti", "spensierati", ecc. Questi sono componenti della personalità.

Poiché la personalità è così intrinsecamente associata al carattere, l'espressione "problema di personalità" può lasciarvi la sensazione che ci sia qualcosa di molto basilare che non va in ciò che è la vostra identità. Tuttavia, un problema di personalità non è un giudizio sul carattere. In termini clinici, "problema di personalità" implica che il vostro esempio di identificazione con il mondo non è del tutto uguale allo standard. (Come tale, non ti comporti nei modi che la grande maggioranza prevede). Questo causa problemi affidabili per voi in numerose parti della vostra vita, per esempio, le vostre connessioni, la vocazione, e le vostre emozioni su voi stessi così come su altre persone.

SINTOMI DI BPD NELLE DONNE

Una donna con un disturbo borderline di personalità può avere regolarmente la maggior parte delle sue connessioni tumultuose e insicure. Un soggetto tipico nella vita delle donne con questa malattia è la bassa fiducia, frequenti turbamenti di sdegno e delusione, e una condotta incauta. La totalità delle indicazioni del disturbo borderline di personalità nelle donne inizia veramente subito nell'età adulta.

Le indicazioni normali di questo disadattamento psicologico nelle donne incorporano il timore di essere trascurate o abbandonate da coloro che amano o di vedere qualcuno. Questo timore di abbandono è un argomento tipico della loro vita in ogni caso, anche quando l'abbandono non è certo un pericolo genuino o addirittura una possibilità. Gli amici e la famiglia possono dire a una donna con questo problema che la amano e che non la lasceranno, ma l'individuo che soffre di BPD si concentra ancora sull'apparente abbandono.

Un'altra indicazione di un problema di personalità borderline nelle donne è che in generale diventano dipendenti dagli altri, regolarmente questa dipendenza unita al timore di arrendersi spinge le donne ad avere una condotta incoerente e abitualmente a rinunciare o tagliare le associazioni prima che ci sia un'opportunità per loro di essere abbandonate.

Normalmente gli individui che sono determinati ad avere questo tipo di disadattamento psicologico hanno in ogni caso cinque delle indicazioni di accompagnamento del problema di personalità borderline;

Segno numero uno: Mette in atto tentativi selvaggi per mantenere una distanza strategica dall'abbandono vero o immaginato.

Segno numero due: Le donne con questo problema hanno un esempio di associazioni fastidiose con l'argomento di base di queste connessioni che sono sporadici confini passionali di amore eccezionale e riverenza o disprezzo dell'individuo nella relazione.

Segno numero tre: Le signore con BPD hanno regolarmente una visione mentale di sé temperante e sono incerte dei loro caratteri.

Segno numero quattro: Le donne con BPD tendono ad agire frettolosamente in modi che sono autolesionisti, questi incorporano abbuffate di spesa, sesso con numerosi complici, abuso di alcol, abuso di farmaci, guida folle e ingozzamento.

Segno numero cinque: Le donne determinate ad avere una malattia fastidiosa hanno spesso sentimenti di vacuità e miseria a lungo termine.

Segno numero sei: Hanno regolarmente visite di sconvolgimenti passionali ed eccezionali episodi emotivi che possono passare dal sentirsi scoraggiati qui a scodinzolare e inquieti ad allegri ed euforici in una questione estremamente breve di tempo. Una volta ogni tanto questi sconvolgimenti durano solo un paio d'ore uno dopo l'altro, ma altri possono continuare per molto tempo.

Segno numero 7: Le donne con problemi di personalità borderline hanno regolarmente contemplazioni autodistruttive o fanno pericoli di farla finita con le persone della loro vita.

Segno numero 8: Le signore con BPD hanno regolarmente un'indignazione impropria e molto furiosa e ribollono e hanno problemi a controllare il loro risentimento, la ferocia e la brutalità.

Segni e sintomi generali .

Il disturbo borderline di personalità (BPD) si manifesta da varie prospettive, tuttavia per le ragioni di conclusione, gli esperti di salute psicologica/mentale raggruppano gli effetti collaterali in nove classificazioni significative. Per essere determinati ad avere il BPD, dovreste dare indicazioni di cinque di queste manifestazioni. Inoltre, gli effetti collaterali devono essere di lunga durata (tipicamente a partire dalla giovinezza) e influire su numerosi aspetti della vostra vita.

I 9 EFFETTI COLLATERALI DEL BPD

Terrore dell'abbandono; le persone con BPD sono regolarmente allarmate di essere lasciate o portate via da sole. In ogni caso, qualcosa di innocuo come un amico o un membro della famiglia che si presenta al lavoro più tardi del previsto o che se ne va per la fine della settimana può scatenare una paura estrema. Questo può provocare sforzi con gli occhi selvaggi per tenere l'altro individuo vicino. Si può chiedere, attaccare, iniziare battaglie, seguire gli sviluppi della persona amata, o anche ostacolare veramente la sua partenza. Purtroppo, questo comportamento avrà in generale l'impatto contrario, spingendo gli altri ad allontanarsi.

Relazione temperamentale; Le persone con BPD avranno in generale connessioni che sono eccezionali e brevi. Potreste iniziare a guardare tutto a occhi stellati rapidamente, accettando che ogni nuovo individuo sia la persona che vi farà sentire interi, solo per essere immediatamente frustrati. Le vostre connessioni sembrano essere grandiose o spaventose, senza un centro. I vostri amanti, compagni o parenti possono sentirsi come se avessero un colpo di frusta passionale a causa delle vostre rapide oscillazioni dalla glorificazione allo svilimento, allo sdegno e all'abominio.

Immagine di sé indistinta o mutevole; quando si ha il BPD, il senso di sé è comunemente traballante. Una volta ogni tanto ti puoi piacere, ma in altre occasioni ti disprezzi, o addirittura ti vedi come malvagio. Molto probabilmente non avete un lontano da ciò che la vostra identità è o ciò di cui avete bisogno nella vita quotidiana. Così, si può molto spesso cambiare lavoro, compagni, fidanzati, religione, qualità, obiettivi, o anche la personalità sessuale.

Comportamenti impulsivi e autodistruttivi; se hai il BPD, potresti prendere parte a pratiche insicure e a caccia di sensazioni, soprattutto quando sei disturbato. Potreste consumare indiscretamente denaro che non potete sopportare, consumare voracemente il cibo, guidare in modo sfrenato, rubare nei negozi, prendere parte al sesso pericoloso, o provare troppo con i farmaci o gli alcolici. Queste pratiche insicure possono aiutarvi a sentirvi meglio in quel momento, ma fanno male a voi e a tutti quelli che vi circondano a lungo termine.

Autolesionismo: la condotta suicida e l'autolesionismo intenzionale sono fondamentali negli individui con BPD. La condotta autodistruttiva comprende il contemplare il suicidio, fare segnali o pericoli autodistruttivi, o completare realmente un tentativo di suicidio. L'autolesionismo comprende ogni altro tentativo di farsi del male senza scopo autodistruttivo. I tipi normali di autolesionismo incorporano il taglio e il consumo. La condotta autolesionista comprende il suicidio e i tentativi di suicidio, proprio come i comportamenti autolesionisti, descritti qui sotto.

Più dell'80% degli individui con problemi di personalità borderline hanno comportamenti autodistruttivi e circa il 4-9% si suicida. Alcuni farmaci possono aiutare a ridurre le pratiche autodistruttive negli individui con problemi di personalità borderline. Per esempio, un esame ha dimostrato che la terapia dialettica del comportamento (DBT) ha diminuito i tentativi di suicidio nelle donne in modo significativo, in contrasto con diversi tipi di psicoterapia, o trattamento di conversazione. La DBT ha anche diminuito l'utilizzo della stanza di crisi e dei benefici ospedalieri e ha tenuto più membri in trattamento, in contrasto con diversi modi di affrontare il trattamento.

A differenza dei tentativi di suicidio, i comportamenti autolesionisti non provengono da un desiderio di mordere la polvere. Sia come sia, alcune pratiche di autolesionismo potrebbero essere pericolose. Le pratiche di autolesionismo collegate al problema di personalità borderline incorporano tagliarsi, consumare, colpire, sbattere la testa, tirare i capelli, e altri atti non sicuri. Gli individui con problemi di personalità borderline possono autolesionarsi per aiutare a dirigere i loro sentimenti, per respingere se stessi, o per comunicare il loro dolore. Generalmente non considerano queste azioni come distruttive.

Oscillazioni emotive oltraggiose; sentimenti e stati d'animo instabili sono regolari con il BPD. Un minuto prima ci si può sentire allegri e quello successivo giù e fuori. Dettagli facilmente trascurati che gli altri ignorano possono mandarvi in una spirale di entusiasmo. Questi episodi emotivi sono straordinari, ma in generale passano abbastanza velocemente (in contrasto con le oscillazioni entusiastiche della malinconia o del problema bipolare), in genere durando solo un paio di momenti o ore.

Pensiero incessante di vuoto; Le persone con BPD parlano regolarmente di inclinazione non riempita, come se ci fosse un vuoto o un vuoto dentro di loro. Allo straordinario, si può sentire come se non si è nulla o "nessuno". Questa inclinazione è imbarazzante, così si può tentare di riempire il vuoto con cose come i farmaci, il nutrimento, o il sesso. In ogni caso, niente sembra veramente appagante.

Rabbia tremenda; se hai il BPD, potresti combattere con un estremo risentimento e un'irritabilità. Potresti anche avere difficoltà a controllarti una volta che l'interruttore è acceso, urlando, lanciando cose o diventando totalmente divorato dalla rabbia. Notate che questo risentimento non è costantemente coordinato verso l'esterno. Potresti investire una grande quantità di energia sentendoti irritato con te stesso.

Sentirsi sospettosi o ritirati dal mondo reale; le persone con BPD spesso combattono con diffidenza o riflessioni sospettose sui processi di pensiero degli altri. Quando si è sotto pressione, si può anche mettere una certa distanza dal mondo reale - un incontro noto come separazione. Ci si può sentire annebbiati, dispersi, o come se si fosse fuori dal proprio corpo.

Per una migliore comprensione dei sintomi;

- • **Instabilità emotiva**

Il termine mentale per questo è "pieno di sentimento disregolazione" sconvolto esempi di ragionamento o di riconoscimento - "curve psicologiche" o" contorsioni percettive" condotta frettolosa seria tuttavia associazioni traballanti con gli altri.

Ognuna di queste zone è ritratta più in dettaglio qui sotto.

Instabilità emotiva; Se hai il BPD, puoi incontrare una serie di sentimenti negativi regolarmente straordinari, come: rabbia, angoscia, disgrazia, allarme, paura, sentimenti di vuoto e depressione a lungo termine Puoi avere episodi emotivi estremi in un breve spazio di tempo.

Modelli di ragionamento sconvolti; Diversi tipi di riflessioni possono influenzare gli individui con BPD, tra cui: considerazioni sconvolgenti, per esempio, credere di essere un individuo orribile o sentire di non esistere. Si può non essere certi di queste considerazioni e cercare la consolazione che sono false scene concise di incontri insoliti, per esempio, sentire voci fuori dalla testa per un tempo considerevole in una volta sola.

Queste possono spesso sentirsi come linee guida per fare del male a se stessi o agli altri. Potresti essere sicuro che si tratti di vere e proprie scene di incontri strani - dove potresti incontrare i due viaggi mentali (voci fuori dalla tua testa) e convinzioni preoccupanti da cui nessuno può tirarti fuori, (per esempio, accettare che la tua famiglia stia segretamente tentando di giustiziarti) Questo tipo di convinzioni potrebbe essere maniacale e un segno che stai diventando progressivamente malato. È essenziale trovare supporto nel caso in cui tu stia combattendo con le allucinazioni.

Gli individui con BPD possono sentire i sentimenti senza quasi alzare un dito e la profondità e per un tempo più tirato di altri. Un attributo centrale del BPD è pieno di precarietà del sentimento, che per la maggior parte si mostra come reazioni entusiastiche sorprendentemente serie ai trigger naturali, con un ritorno più lento a uno stato di passione di misura. L'affettabilità, la forza e il termine con cui gli individui con BPD sentono i sentimenti hanno impatti sia positivi che negativi. Gli individui con BPD sono regolarmente incredibilmente eccitati, speranzosi, euforici e adoranti, ma possono sentirsi sopraffatti da sentimenti negativi (tensione, sconforto, colpa/disgrazia, stress, indignazione e così via), incontrando una straordinaria angoscia piuttosto che problemi, disgrazia e mortificazione piuttosto che morbida vergogna, rabbia piuttosto che irritazione e frenesia piuttosto che apprensione.

Gli individui con BPD sono anche particolarmente delicati ai sentimenti di rifiuto, analisi, confinamento e delusione della sega. Prima di imparare altri modi di affrontare lo stress, i loro tentativi di sorvegliare o fuggire dai loro sentimenti eccezionalmente negativi possono indurre il confinamento entusiastico, l'autolesionismo o la condotta autodistruttiva. Sono spesso consapevoli del potere delle loro risposte entusiastiche negative e, dal momento che non possono dirigerle, le chiudono totalmente poiché la consapevolezza motiverebbe solo ulteriore dolore. Questo può essere distruttivo perché i sentimenti contrari preparano gli individui alla vicinanza di una circostanza rischiosa e li spingono ad affrontarla.

Mentre gli individui con BPD provano rapimento (soddisfazione eccezionale vaporosa o periodica), sono particolarmente inclini alla disforia (una condizione significativa di inquietudine o delusione), miseria, così come sentimenti di problemi mentali ed entusiastici. Si percepiscono quattro classificazioni di disforia comuni a questa condizione: sentimenti oltraggiosi, tendenza dannosa o avventatezza, sensazione di divisione o mancanza di carattere, e sentimenti di sfruttamento. All'interno di queste classificazioni, una conclusione di BPD è saldamente connessa con un mix di tre stati espliciti: sentirsi esaurito, credere selvaggio, e "voler fare del male a me stesso". Poiché c'è uno straordinario assortimento nei tipi di disforia che gli individui con BPD sperimentano, l'adeguatezza del dolore è un utile marcatore.

Nonostante i sentimenti straordinari, gli individui con BPD sperimentano una "labilità" entusiastica (variabilità, o vacillazione). Nonostante il fatto che quel termine raccomandi cambiamenti veloci tra dolore ed euforia, le oscillazioni di temperamento negli individui con BPD includono per lo più tensione, con oscillazioni tra indignazione e disagio e tra malinconia e nervosismo.

-Comportamento;

La condotta affrettata è normale, incluso l'abuso di sostanze o liquori, mangiare in abbondanza, sesso non protetto o senza scopo con vari complici, spese folli e guida folle. La condotta affrettata può anche includere l'abbandono di occupazioni o connessioni, la fuga e l'autolesionismo. Gli individui con BPD possono fare questo perché dà loro il sentimento di un rapido sollievo dalla loro agonia passionale, ma a lungo andare si sentono in disgrazia e in colpa per i risultati inevitabili di procedere con questa condotta. Inizia regolarmente un ciclo in cui gli individui con BPD provano un'agonia passionale, partecipano a una condotta incauta per diminuire quel tormento, provano vergogna e biasimo per le loro attività, provano un tormento entusiasta per la vergogna e il biasimo, e in seguito provano desideri più radicati di prendere parte a una condotta avventata per calmare il nuovo tormento. A lungo termine, la condotta avventata può trasformarsi in una reazione programmata al tormento entusiastico.

Nella remota possibilità che tu abbia il BPD, ci sono 2 tipi fondamentali di forze motrici che potresti scoprire incredibilmente difficili da controllare: una motivazione ad autolesionarsi, per esempio, tagliarsi le braccia con i rasoi o copiare la pelle con le sigarette; in casi estremi, in particolare nella remota possibilità che anche voi vi sentiate seriamente depressi e scoraggiati, questa spinta può indurre l'inclinazione autodistruttiva e potreste tentare il suicidio una solida spinta a prendere parte ad esercizi imprudenti e frivoli, per esempio, colpire duramente la bottiglia, abusare di sedativi, andare a fare spese o scommesse, o fare sesso non protetto con persone esterne

Comportamento autodistruttivo incessante

Una componente essenziale del problema di personalità borderline è la condotta sconsiderata e insensata, tra cui la guida e le spese imprudenti, il taccheggio, l'abbuffata e il vomito, l'abuso di sostanze, la condotta sessuale pericolosa, l'automutilazione e i tentativi di suicidio. Si pensa che questa condotta rispecchi i problemi che i pazienti con problemi di personalità borderline hanno con l'adattamento e la regolazione di sentimenti estremi o forze motrici. Alcuni clinici che sono maestri nel trattamento del problema di personalità borderline raccomandano che lo psicoterapeuta si muova verso ogni incontro considerando un sistema progressivo di bisogni. Alla fine della giornata, le pratiche autodistruttive e insensate verrebbero trattate come i bisogni più elevati, con una spinta a valutare il rischio del paziente per queste pratiche e aiutarlo a scoprire approcci per prendersi cura della sicurezza.

Le opzioni in contrasto con l'automutilazione, per esempio, possono essere considerate, e pezzi di conoscenza possono essere offerti circa l'importanza della condotta sciocca. Gli SSRI possono anche essere approvati per l'automutilazione persistente.

La maggior parte degli specialisti concorda sul fatto che una sorta di impostazione del punto di rottura è importante, a volte, nel trattamento dei pazienti con problemi di personalità borderline. Dal momento che i pazienti prendono parte a un numero così grande di pratiche sciocche e sconsiderate, i clinici possono finire per passare gran parte del trattamento a porre dei limiti alle pratiche del paziente. Il rischio, in queste circostanze, è che i consulenti possano rimanere impantanati in una posizione controtransferale di controllo della condotta del paziente al punto che gli obiettivi del trattamento vengono persi e la partnership riparativa viene minata. Waldinger ha raccomandato che la fissazione di limiti dovrebbe essere focalizzata su un sottogruppo di pratiche, per essere specifici, quelli che sono dannosi per il paziente, lo specialista, o il trattamento. La fissazione dei limiti non è in realtà un'offerta finale che include il rischio di interrompere il trattamento. I consulenti possono mostrare al paziente che specifiche condizioni sono importanti per rendere il trattamento ragionevole. È inoltre prezioso per i terapeuti aiutare il paziente a considerare a fondo gli esiti delle pratiche incessanti e sconsiderate. In questo momento la condotta può gradualmente passare dall'essere sintonica della coscienza a distonica dell'immagine di sé (cioè, la condotta risulta essere tanto più sconvolgente per il paziente quanto più la persona in questione risulta essere progressivamente intelligente sugli esiti antagonisti). Il paziente e lo specialista sarebbero allora in grado di inquadrare una coalizione correttiva più fondata sulle tecniche per controllare la condotta.

Uso di sostanze pericolose

I problemi legati all'uso di sostanze sono fondamentali nei pazienti con problemi di personalità borderline. La vicinanza dell'uso di sostanze ha ramificazioni significative per il trattamento, dal momento che i pazienti con problemi di personalità borderline che abusano di sostanze per la maggior parte hanno un risultato scadente e sono a rischio straordinariamente più elevato di suicidio e di morte o lesioni causate da incidenti. Le persone con un problema di personalità borderline abusano regolarmente di sostanze in un modo frettoloso che si aggiunge all'abbassamento del limite per altre condotte insensate, per esempio, mutilazione del corpo, indiscriminazione sessuale, o condotta provocatoria che spinge all'attacco (contando l'agguato omicida).

I pazienti con problemi di personalità borderline che abusano di sostanze sono solo di tanto in tanto reali alla vita e si avvicinano alla natura e al grado del loro maltrattamento, in particolare nei primi periodi di trattamento.

Di conseguenza, i consulenti dovrebbero chiedere esplicitamente del maltrattamento da sostanze verso l'inizio del trattamento e insegnare ai pazienti i pericoli in questione. Il trattamento vivace di qualsiasi problema di uso di sostanze è fondamentale nel lavoro con i pazienti con problemi di personalità borderline. A seconda della gravità dell'abuso di alcol, se il trattamento ambulatoriale è inadeguato, potrebbe essere necessario un trattamento in ricovero per la disintossicazione e l'investimento in diverse mediazioni di trattamento dell'alcol. L'investimento in Alcolisti Anonimi è spesso utile sia in un ricovero che in un ambulatorio. L'esperienza clinica raccomanda che l'utilizzo del disulfiram può una volta ogni tanto essere utile come trattamento aggiuntivo per i pazienti con problemi di personalità borderline che usano il liquore, tuttavia deve essere utilizzato con attenzione a causa del pericolo di impulsività o non aderenza. Altri farmaci potenti per il trattamento dell'abuso o della dipendenza dal liquore (per esempio, il naltrexone) possono anche essere considerati. I dodici progetti di avanzamento sono inoltre accessibili per le persone che maneggiano oppiacei o cocaina. I rivali degli stupefacenti (per esempio, il naltrexone) sono validi nel trattamento delle overdose di sedativi e sono utilizzati di tanto in tanto per cercare di diminuire il maltrattamento di sedativi. In ogni caso, richiedono un'aderenza costante da parte del paziente, e c'è un aiuto minimo esatto per l'adeguatezza di questa metodologia per l'abitudine.

L'indirizzamento dei farmaci potrebbe essere una parte importante del trattamento. Tuttavia, a parte forse per l'uso leggero di cannabis, la psicoterapia da sola è comunemente incapace di trattare il problema dell'uso di sostanze.

Nella misura in cui diverse sostanze possono essere manipolate per coprire lo sconforto, la tensione e altri stati correlati, l'esperienza clinica propone che i farmaci raccomandati - antidepressivi (in particolare SSRI) o ansiolitici non abituanti, per esempio, il buspirone - possono aiutare ad alleggerire le manifestazioni nascoste, riducendo così l'impulso a dipendere dall'uso di alcol o farmaci.

Discernimenti;

I sentimenti regolarmente gravi che gli individui con BPD sperimentano possono rendere difficile la loro concentrazione.

Altri possono in alcuni casi dire quando qualcuno con BPD si sta separando alla luce del fatto che le loro articolazioni facciali o vocali possono risultare piatte o spente, o possono sembrare distratti.

La separazione avviene frequentemente alla luce di un'occasione straziante (o qualcosa che scatena il ricordo di un'occasione straziante). Include il cervello che devia di conseguenza la considerazione da quell'occasione, probabilmente per proteggersi dal sentimento estremo e dalle motivazioni sociali indesiderabili che tale sentimento può scatenare. La propensione del cervello a chiudere fuori i sentimenti difficili gravi può dare un sollievo transitorio, ma può anche avere il sintomo di bloccare o smussare i sentimenti comuni, diminuendo l'ingresso degli individui con BPD ai dati che questi sentimenti danno, dati che aiutano a dirigere la dinamica vitale nella vita quotidiana.

-Collegamenti instabili/Relazioni interpersonali;

Gli individui con BPD possono essere delicati al modo in cui gli altri li trattano, provando una straordinaria beatitudine e apprezzamento alle articolazioni segrete di benevolenza, e grave miseria o indignazione all'apparente analisi o perniciosità. Gli individui con BPD partecipano regolarmente all'ammirazione e alla svalutazione degli altri, passando avanti e indietro tra un alto rispetto costruttivo per gli individui e un'incredibile frustrazione nei loro confronti. I loro sentimenti verso gli altri passano regolarmente dal profondo rispetto o amore allo sdegno o all'avversione dopo un errore, un pericolo di perdere qualcuno, o un'apparente perdita di considerazione secondo qualcuno che stimano. Questa meraviglia è in alcuni casi chiamata separazione. Insieme alle aggravanti del temperamento, l'esaltazione e la degradazione possono minare le associazioni con la famiglia, i compagni e i colleghi di lavoro.

Pur desiderando enfaticamente la vicinanza, gli individui con BPD inclinano verso progetti di connessione incerti, evitanti o irresoluti, o spaventosamente assorti nel vedere qualcuno, e vedono regolarmente il mondo come pericoloso e maligno. Come altri problemi di personalità, il BPD è collegato a gradi espansi di pressione incessante e lotta nelle connessioni sentimentali, diminuzione della soddisfazione dei complici sentimentali, abuso, e gravidanza indesiderata.

Nel caso in cui abbiate il BPD, potreste sentire che gli altri vi abbandonano quando ne avete più bisogno, o che si avvicinano eccessivamente e vi coprono. Nel momento in cui gli individui temono l'abbandono, questo può provocare sentimenti di estremo disagio e indignazione. Potreste mettere in atto tentativi folli per evitare di essere trascurati, per esempio, mandando continuamente messaggi o chiamando un individuo dal nulla, chiamando quell'individuo nella notte, attaccandovi veramente a quell'individuo e rifiutando di rinunciare a fare pericoli per danneggiare o massacrare voi stessi se quell'individuo vi lasciasse mai. Poi di nuovo, potete sentire che gli altri vi stanno coprendo, controllando o sciamando, il che suscita ugualmente una paura e un'indignazione eccezionali. Potreste allora reagire agendo in modo da indurre gli individui ad andarsene, per esempio, tirandovi veramente indietro, respingendoli o utilizzando un attacco violento. Questi 2 schemi possono portare ad un rapporto instabile di "amore-detesto" con determinate persone.

Numerosi individui con BPD sembrano essere lasciati con una prospettiva "bianco scuro" estremamente inflessibile sulle connessioni. O una relazione è grande e quell'individuo è magnifico, o la relazione è destinata e quell'individuo è orrendo. Gli individui con BPD sembrano non essere in grado o riluttanti a riconoscere qualsiasi tipo di "area nebulosa" nella loro vita e nelle loro connessioni.

Per alcuni individui con BPD, le connessioni entusiasmanti (contando le associazioni con badanti competenti) includono prospettive di "lasciare / gentilmente non andare", il che è sbagliato per loro e i loro complici. Sfortunatamente, questo può spesso provocare separazioni.

Gli individui con disturbo borderline di personalità, allo stesso modo, vedranno le cose in generale in limiti, per esempio, tutto grande o tutto terribile. Le loro valutazioni degli altri possono anche cambiare rapidamente. Una persona che è vista come un compagno un giorno potrebbe essere vista come un nemico o un ingannatore il seguente. Queste emozioni in movimento possono indurre legami seri e precari.

-COMPORTAMENTO VIOLENTO E TRATTI ANTISOCIALI

Alcuni pazienti con problemi di personalità borderline prendono parte a pratiche brutali. La brutalità può accettare strutture come il lancio di oggetti contro i parenti o contro i consiglieri durante scatti di grave fastidio o delusione. Altri possono subire agguati fisici. Alcuni pazienti con problemi di personalità borderline sono veramente ingiuriosi verso i loro figli. I pazienti con attributi riservati possono partecipare a furti, rapine e furti di veicoli. Dimostrazioni di questo tipo sono frequentemente collegate a un record di cattura.

Le metodologie di rimedio ideali per gestire i punti salienti riservati sono diverse, a seconda della gravità di questi punti salienti, e vanno da piccole mediazioni a procedure più estese e progressivamente complesse, ragionevoli per un quadro clinico in cui l'antisocialità è una considerazione principale.

Nel momento in cui i punti salienti ritirati sono delicati (per esempio, il taccheggio periodico in occasione di una pressione estrema), l'esperienza clinica raccomanda che il trattamento soggettivo individuale potrebbe essere fruttuoso (per esempio, sollecitando il paziente a valutare i pericoli rispetto ai vantaggi - e il momento presente rispetto alla lunga distanza

Nel momento in cui i punti salienti ritirati progressivamente gravi sono disponibili, il trattamento privato potrebbe essere dimostrato. Questo può apparire come la "rete correttiva".

Diversi tipi di trattamento di raccolta sono una spina dorsale di questa metodologia. Nel momento in cui sono disponibili sconvolgimenti rotondi della condotta feroce, si può dimostrare l'utilizzo di farmaci regolatori dello stato d'animo o di un SSRI.

Nel momento in cui i punti salienti ritirati sono considerevolmente progressivamente estremi e diventano prevalenti, e quando il rischio di cattiveria è in arrivo, la psicoterapia di qualsiasi tipo può dimostrarsi insufficiente. In questo momento (automatico, se necessario) potrebbe essere necessario per permettere al paziente di recuperare il controllo e, nei casi in cui un pericolo particolare è stato trasmesso dal paziente, per diminuire il pericolo per la/e vittima/e potenziale/i.

I clinici devono sapere che alcuni pazienti con problemi di personalità borderline con comorbidità riservata possono non essere una possibilità accettabile per il trattamento. Questo è particolarmente evidente quando il quadro clinico è comandato da caratteristiche psicopatiche (come descritto da Hare) di tipo fortemente narcisistico: importanza di sé, truffa, assenza di rimpianto, menzogna e manipolazione. In sostanza, mentre i processi di pensiero nascosti di desiderio o di punizione sono di straordinaria forza, il trattamento può dimostrarsi incapace.

Altri problemi potrebbero essere in comorbilità con il problema della personalità borderline, per esempio, problemi di mentalità, disordini legati alle sostanze, problemi alimentari (in particolare, bulimia), PTSD, altri problemi di disagio, problemi di carattere dissociativo, e problemi di carenza di considerazione/iperattività. "Comorbidità", e alludere alle pertinenti linee guida dell'APA. Queste comorbidità possono confondere il quadro clinico e dovrebbero essere prese in considerazione nel trattamento. L'avvilimento, regolarmente con punti salienti atipici, è particolarmente normale nei pazienti con problemi di personalità borderline. I punti salienti gravosi possono soddisfare i criteri per un problema gravoso significativo o per un problema distimico, o potrebbero essere un'indicazione del problema di personalità borderline stesso.

Nonostante il fatto che questa differenziazione può essere difficile da fare, i punti salienti pesanti che si mostrano particolarmente normali per il problema della personalità borderline sono il vuoto, l'auto-giudizio, le paure dell'abbandono, la tristezza, l'inutilità e i ripetuti movimenti autodistruttivi.

I punti salienti gravosi che sembrano, a tutti i conti, essere a causa del disturbo borderline di personalità possono reagire agli approcci di trattamento raffigurati in questo momento. I punti salienti gravosi che soddisfano i criteri per la malinconia significativa (in particolare se sono disponibili cospicui effetti collaterali neurovegetativi) dovrebbero essere trattati utilizzando gli approcci di trattamento standard per la malinconia significativa.

FATTORI DI RISCHIO

SUICIDIO E COMPORTAMENTI AUTOLESIONISTI

I pericoli, i movimenti e gli sforzi autodistruttivi sono eccezionalmente basilari tra i pazienti con problemi di personalità borderline, e l'8%-10% finisce tutto.

Il problema di personalità borderline è legato a un ritmo più elevato di suicidio e di pratiche di autolesionismo. I pazienti con problemi di personalità borderline che stanno pensando di farsi del male o di tentare il suicidio hanno bisogno di assistenza immediatamente. Nel caso in cui voi o un compagno o un parente stiate incontrando contemplazioni autodistruttive o pratiche autolesionistiche, prestate attenzione a qualsiasi commento sul suicidio o sul desiderio di mordere la polvere. Indipendentemente dal fatto che non accettiate che il vostro parente o compagno tenti il suicidio, l'individuo è inequivocabilmente in difficoltà e può beneficiare della vostra assistenza nella scoperta del trattamento.

Oltraggio, IMPULSIVITÀ E VIOLENZA

L'indignazione e l'impulsività sono segni del problema della personalità borderline e possono essere rivolti agli altri, incluso il clinico. Questo è particolarmente incline ad accadere quando c'è un disturbo nelle connessioni del paziente o quando l'individuo si sente abbandonato (ad esempio, c'è un aggiustamento nei clinici) o quando il paziente si sente venduto, denunciato con vergogna, o veramente giudicato male e accusato dal clinico o da un altro enorme. In effetti, anche con un'attenta osservazione e considerazione di questi problemi nel trattamento, è difficile prevedere il loro evento. Un altro fattore di confusione è che il dispiacere o la condotta del paziente può creare indignazione nel consulente, che ha ilpotenziale di influenzare sfavorevolmente il giudizio clinico. Prossimamente ci sono le contemplazioni del consiglio per l'indignazione, l'impulsività e la cattiveria nei pazienti con problemi di personalità borderline:

VIOLAZIONI dei limiti; con i pazienti con problemi di personalità borderline c'è il pericolo di intersezioni e violazioni dei limiti.

Difficoltà;

Il problema della personalità borderline può danneggiare numerosi aspetti della vostra vita. Può al contrario influenzare i legami stretti, le occupazioni, la scuola, gli esercizi sociali e l'autoritratto mentale, venendo in:

Cambiamenti di lavoro o disgrazie rimaneggiate

Non finire l'istruzione

Diverse questioni legali, per esempio, il tempo di prigione

Legami pieni di conflitti, pressione coniugale o separazione

Autolesionismo, per esempio, tagliando o consumando, e visita ospedaliera

Inclusione in connessioni dannose

Gravidanze spontanee, malattie esplicitamente trasmesse, incidenti di veicoli a motore e battaglie fisiche a causa di un comportamento indiscreto e non sicuro

Suicidio tentato o finito

Inoltre, potresti avere altri problemi di benessere emotivo, per esempio,

Tristezza

Abuso di alcolici o altre sostanze

Problema di tensione

Disturbo da deficit di attenzione/iperattività (ADHD)

Questioni dietetiche

Disturbo da stress post-traumatico (PTSD)

Confusione bipolare

TRATTAMENTI

Il disturbo di personalità borderline influenza circa il 2% di ogni individuo adulto e comprende il 20% della popolazione limitata negli istituti psichiatrici. È normalmente visto durante la giovinezza, descritto dalla precarietà del temperamento, dal disturbo mentale dell'autoritratto e dal rischio di entusiasmo. Si ritiene che questa infermità si rompa con lo sviluppo, con l'avanzamento della personalità. Nonostante il fatto che il disturbo borderline di personalità non è uno stato mentale invalidante, simile alla schizofrenia, è visto come un disturbo intenso dalla maggior parte degli specialisti a causa del male che un individuo tormentato può portare sulla persona in questione, durante l'apice della pressione.

Tra il 9 e il 75 per cento di coloro che sono determinati ad avere un problema di personalità borderline mostrano automutilazione, uso cronico di droghe, dipendenza da alcol e sforzi autodistruttivi. Di questa popolazione che pratica pratiche insensate, circa l'8-10% morde davvero la polvere. Questi risultati inquietanti informano gli specialisti clinici di affrontare l'afflizione psicologica con farmaci irresistibili.

Un piano di trattamento convincente dovrebbe incorporare le tue inclinazioni mentre si occupa anche di altre condizioni coincidenti che potresti avere. Alcuni esempi di scelte di trattamento comprendono la psicoterapia, i farmaci e il supporto di gruppo, di amici e familiari. La psicoterapia è il trattamento essenziale per il disturbo borderline di personalità. I trattamenti devono essere fondati sulle necessità dell'individuo, invece che sulla conclusione generale del BPD. I farmaci sono utili per il trattamento di problemi comorbidi, per esempio, scoraggiamento e nervosismo. Il ricovero temporaneo non è stato visto come più potente della cura in rete per migliorare i risultati o per evitare a lungo termine la condotta autodistruttiva in quelli con BPD. L'obiettivo più grande del trattamento è per un individuo con BPD di auto-dirigere progressivamente il proprio piano di trattamento man mano che si rende conto di cosa funziona e cosa no.

La psicoterapia , per esempio la terapia comportamentale dialettica (DBT), la terapia cognitiva comportamentale (CBT) e la psicoterapia psicodinamica, è la prima linea di decisione per il BPD. Imparare approcci per adattarsi alla disregolazione entusiasta in un ambiente utile è regolarmente la via per un miglioramento a lungo termine per coloro che incontrano il BPD.

La psicoterapia è normalmente il trattamento principale per gli individui con problemi di personalità borderline. Recenti ricerche propongono che la psicoterapia possa calmare alcuni effetti collaterali, ma si attendono ulteriori esami per vedere quanto bene funzioni la psicoterapia.

Molto bene può essere dato uno-a-uno tra il consulente e il paziente o in un ambiente di raccolta. Gli incontri di gruppo guidati dal terapeuta possono aiutare a insegnare alle persone con problemi di personalità borderline come interfacciarsi con gli altri e come comunicare con successo. È significativo che gli individui in trattamento coesistano con il loro consulente e si fidino di lui.

L'idea stessa del problema di personalità borderline può rendere difficile per gli individui con questo problema mantenere un legame piacevole e confidenziale con il loro specialista.

È significativo che gli individui in trattamento coesistano con il loro consulente e si fidino di lui. L'idea stessa del problema di personalità borderline può rendere difficile per gli individui con questo problema mantenere questo tipo di legame con il loro specialista.

La psicoterapia a lungo termine è finora il trattamento di decisione per il BPD. Mentre la psicoterapia, in particolare la terapia del comportamento dialettico e gli approcci psicodinamici, è convincente, gli impatti sono pochi.

I farmaci più approfonditi non sono considerevolmente superiori a quelli meno approfonditi. Ci sono sei farmaci accessibili: psicoterapia dinamica decostruttiva (DDP), trattamento basato sulla mentalizzazione (MBT), psicoterapia focalizzata sul transfert, terapia dialettica del comportamento

(DBT), gestione psichiatrica generale e terapia focalizzata sullo schema. Mentre la DBT è il trattamento che è stato considerato di più, ognuno di questi farmaci sembra valido per il trattamento del BPD, a parte la terapia focalizzata sullo schema. Il trattamento a lungo termine di qualsiasi tipo, compresa la terapia focalizzata sullo schema, è superiore a nessun trattamento, in particolare nel diminuire il desiderio di autolesionismo.

1. Terapia cognitiva comportamentale (CBT). La CBT può aiutare gli individui con problemi di personalità borderline a distinguere e cambiare le convinzioni centrali e le pratiche che sottendono una visione imprecisa di se stessi e delle altre persone e dei problemi di interazione con gli altri. La CBT può aiutare a diminuire un ambito di manifestazioni di stato d'animo e disagio e a ridurre la quantità di pratiche autodistruttive o autolesioniste.

La CBT può aiutare gli individui con disturbo borderline di personalità a distinguere e cambiare le convinzioni centrali e le pratiche che sono alla base dell'impressione errata di se stessi e delle altre persone e dei problemi di comunicazione con gli altri. La CBT può aiutare a diminuire una serie di indicazioni di disposizione e nervosismo e a diminuire la quantità di pratiche autodistruttive o autolesioniste.

Terapia cognitivo-comportamentale (CBT) - si aspetta di assisterti nel vedere come le tue considerazioni e convinzioni possono influenzare le tue emozioni e la tua condotta. Terapia cognitivo-analitica (CAT) - unisce le tecniche pratiche della CBT con un'enfasi sulla connessione tra te e il tuo consigliere. Questo può aiutarti a dare un'occhiata a come ti identifichi con gli individui, incluso te stesso, e a ciò che gli esempi hanno creato per te.

2. Dialectical Behavior Therapy (DBT) - utilizza un trattamento individuale e di gruppo per assistervi con l'apprendimento delle capacità di adattarsi ai sentimenti fastidiosi. Fino a questo punto, il NICE ha prescritto questo trattamento per le signore con BPD che regolarmente auto-mischiano, ed è inoltre pensato per essere utile per diversi raduni. La Dialectical Behavior Therapy (DBT) è un tipo di trattamento esplicitamente destinato a trattare gli individui con BPD.

La DBT dipende dalla possibilità che 2 elementi significativi contribuiscano al BPD: siete particolarmente indifesi - per esempio, i bassi gradi di stress vi fanno sentire molto ansiosi Avete vissuto l'infanzia in una situazione in cui i vostri sentimenti sono stati rifiutati da tutti intorno a voi - per esempio, un genitore può avervi rivelato che non avete riservato alcuna opzione per sentirvi tristi o eravate semplicemente "senza senso" nella remota possibilità che vi lamentaste di sentimenti di disagio o stress

Questi due elementi possono farvi cadere in un circolo senza fine: provate sentimenti gravi e sconvolgenti, ma vi sentite pieni di rimorsi e inutili per averli provati. Come risultato della vostra infanzia, pensate che avere questi sentimenti vi rende un individuo orribile. Queste riflessioni a quel punto portano ad altri sentimenti sconvolgenti.

L'obiettivo della DBT è quello di rompere questo ciclo presentando 2 concetti significativi: la convalida; tollerare che i tuoi sentimenti siano legittimi, genuini e accettatiiledialettica: una scuola di teoria che esprime la maggior parte delle cose nella vita sono una volta tanto "bianche o nere" e che è fondamentale essere disponibili a pensieri e conclusioni che negano i tuoi

Lo specialista DBT utilizzerà le due idee per tentare di ottenere cambiamenti positivi nella vostra condotta.

Per esempio, il consigliere potrebbe riconoscere (approvare) che i sentimenti di estrema amarezza causano l'autolesionismo, e che continuare in questo modo non fa di te un individuo orrendo e inutile.

In ogni caso, lo specialista cercherebbe allora di contestare la supposizione che l'autolesionismo sia il modo migliore per adattarsi ai sentimenti di pietà.

Un obiettivo definitivo della DBT è quello di permetterti di "liberarti" dal vedere il mondo, le tue connessioni e la tua vita in un modo eccezionalmente ristretto e inflessibile che ti spinge a prendere parte a comportamenti insicuri e sconsiderati.

La DBT include normalmente incontri settimanali individuali e di gruppo, e vi sarà dato un numero di contatto fuori orario da chiamare se le vostre manifestazioni peggiorano.

La DBT dipende dalla cooperazione. Si fa affidamento sul fatto che tu lavori con il tuo consulente e con gli altri nelle riunioni di gruppo. Così, gli specialisti cooperano come un gruppo.

La DBT si è dimostrata particolarmente efficace nel trattamento di donne con BPD che hanno un passato segnato da comportamenti autolesionisti e autodistruttivi. È stata prescritta dal National Institute for Health and Care Excellence (NICE) come il trattamento principale per queste signore per tentare

Dialectical Behavior Therapy (DBT); questo tipo di trattamento è incentrato sul concetto di cura, o monitoraggio e attenzione alla situazione attuale. La DBT istruisce le capacità di controllare i sentimenti estremi, riduce i comportamenti insensati e migliora le connessioni. Questo trattamento contrasta con la CBT in quanto cerca l'equilibrio tra cambiare e tollerare le convinzioni e le pratiche.

DBT, che è stato creato per le persone con problemi di personalità borderline, utilizza le idee di cura e riconoscimento o di monitoraggio e attento alla circostanza presente e allo stato passionale, DBT istruisce anche le attitudini a controllare i sentimenti estremi, diminuire le pratiche sconsiderate e migliorare le connessioni.

La Terapia Dialettica del Comportamento (DBT) ha segmenti comparativi alla CBT, comprese le pratiche, per esempio la riflessione. In questo modo, aiuta la persona con BPD ad acquisire abilità per sorvegliare le indicazioni. Queste attitudini incorporano la linea guida del sentimento, la cura e la solidità dello stress.

Le fasi utilizzate nella Terapia Dialettica del Comportamento (DBT);

La terapia cognitivo-comportamentale (CBT) è anche un tipo di psicoterapia utilizzata per il trattamento del BPD. Questo tipo di trattamento dipende dal cambiamento delle pratiche e delle convinzioni degli individui riconoscendo i problemi del disordine. La CBT è nota per diminuire alcuni nervosismi e indicazioni di stato d'animo, così come per diminuire le considerazioni autodistruttive e le pratiche di autolesionismo.

Un altro tipo di psicoterapia a lungo raggio che può essere utilizzato per trattare il BPD è il trattamento basato sulla mentalizzazione (MBT).

Il trattamento basato sulla mentalizzazione e la psicoterapia centrata sul transfert dipendono dagli standard psicodinamici, e il trattamento della condotta persuasiva dipende dagli standard sociali psicologici e dalla cura. L'amministrazione mentale generale consolida gli standard centrali di ognuna di queste medicine, ed è vista come più semplice da imparare e meno concentrata. I preliminari controllati randomizzati hanno indicato che DBT e MBT potrebbero essere i migliori, e i due offrono numerose similitudini. Gli specialisti sono interessati a creare adattamenti più brevi di questi trattamenti per ampliare la disponibilità, per calmare il peso del bilancio sui pazienti e per alleviare il problema patrimoniale dei fornitori di trattamenti.

Alcune esplorazioni mostrano che la riflessione assistenziale può ottenere cambiamenti ausiliari ideali nella mente, ricordando i cambiamenti per le strutture cerebrali che sono collegate con il BPD. Le intercessioni basate sulla cura sembrano allo stesso modo ottenere un miglioramento degli effetti collaterali normali per il BPD, e alcuni clienti che hanno sperimentato il trattamento basato sulla cura non hanno più incontrato almeno cinque dei criteri analitici del DSM-IV-TR per il BPD.

Terapia basata sulla mentalizzazione (MBT) - significa aiutarvi a percepire e comprendere i vostri stati psicologici e quelli degli altri, e a controllare le vostre riflessioni su voi stessi e sugli altri. La MBT si basa sull'idea che gli individui con BPD hanno una scarsa capacità di mentalizzare.

La mentalizzazione è la capacità di considerare il pensiero. Questo implica guardare le proprie riflessioni e convinzioni, e valutare se sono utili, ragionevoli e dipendenti dal mondo reale.

Per esempio, numerosi individui con BPD avranno un'improvvisa inclinazione all'autodanneggiamento e in seguito soddisferanno questa spinta senza affrontarla. Non hanno la capacità di "fare un passo indietro" rispetto a quel desiderio e dire a se stessi: "Questa non è una prospettiva sana e sto solo ragionando in questo modo perché sono disturbato".

Un altro pezzo significativo della mentalizzazione è percepire che gli altri hanno le loro proprie contemplazioni, sentimenti, convinzioni, desideri e bisogni, e la vostra comprensione degli stati psicologici degli altri potrebbe non essere davvero corretta. Inoltre, dovresti conoscere l'effetto potenziale che le tue attività avranno sugli stati psicologici degli altri.

L'obiettivo della MBT è migliorare la tua capacità di percepire i tuoi stati psicologici e quelli degli altri, capire come "fare un passo indietro" rispetto alle tue riflessioni su te stesso e sugli altri e guardarle per verificare se sono legittime.

All'inizio, l'MBT potrebbe essere convogliato in una clinica di emergenza, dove rimarresti come degente. Il trattamento per la maggior parte comprende ogni giorno incontri singolari con uno specialista e incontri di raccolta con altri con BPD.

Un corso di MBT di regola dura circa un anno e mezzo. Alcune cliniche mediche e centri d'autorità vi esortano a rimanere come paziente durante questo periodo. Diverse cliniche e centri medici possono suggerire di lasciare la clinica di emergenza dopo un periodo di tempo specifico, ma di continuare ad essere trattato come un paziente esterno, dove si visita la clinica di emergenza normalmente.

3. Terapia focalizzata sullo schema. Questo tipo di trattamento consolida i componenti della CBT con diversi tipi di psicoterapia che si concentrano sulla riorganizzazione degli schemi, o i modi in cui gli individui vedono se stessi. Questa metodologia dipende dalla possibilità che il disturbo di personalità borderline provenga da un'inutile visione mentale di sé, possibilmente portata avanti da incontri giovanili antagonisti, che influenza il modo in cui gli individui reagiscono alla loro condizione, si interfacciano con gli altri e si adattano ai problemi o allo stress.

4.La terapia focalizzata sul transfert prevede di separarsi dal ragionamento totale. In questo momento, gli individui per spiegare le loro comprensioni sociali e i loro sentimenti in modo da trasformare le loro prospettive in classi meno inflessibili. Lo specialista tende alle emozioni della persona e passa in rassegna le circostanze, genuine o sensate, che potrebbero verificarsi proprio come muoversi verso di loro.

5. Trattamento dei pazienti con disturbo borderline di personalità

L'esperienza clinica raccomanda che ci sono vari punti salienti normali che aiutano a controllare lo psicoterapeuta, prestando poca attenzione al particolare tipo di trattamento utilizzato. Questi punti salienti incorporano la struttura di una solida collaborazione riparatrice e l'osservazione del comportamento suicida e delle pratiche autodistruttive. Alcuni specialisti fanno una catena di comando dei bisogni da considerare nel trattamento (per esempio, concentrandosi prima sulla condotta autodistruttiva). Altre intercessioni importanti incorporano l'approvazione dell'infelicità e dell'esperienza del paziente, così come l'aiutare il paziente ad assumersi la responsabilità delle proprie attività. Poiché i pazienti con problemi di personalità borderline possono mostrare un ampio gruppo di qualità e difetti, l'adattabilità è una parte fondamentale del trattamento di successo. Diversi segmenti del trattamento attuabile per i pazienti con problemi di personalità borderline incorporano la supervisione dei sentimenti (sia nel paziente che nel consulente), l'avanzamento della riflessione rispetto all'attività avventata, la diminuzione dell'inclinazione del paziente a prendere parte alla separazione, e l'impostazione di limiti su qualsiasi pratica avventata.

La psicoterapia psicodinamica individuale senza il corrispondente trattamento di raccolta o altre modalità di clinica medica a metà strada ha un certo aiuto osservativo. Gli scritti sul trattamento di gruppo o sulla preparazione delle attitudini di raccolta per i pazienti con problemi di personalità borderline sono limitati, ma mostrano che questo trattamento potrebbe essere utile. Gli approcci di raggruppamento sono tipicamente utilizzati in combinazione con il trattamento individuale e altri tipi di trattamento. La scrittura distribuita sul trattamento di coppia è limitata, tuttavia raccomanda che potrebbe essere una metodologia di trattamento aggiuntiva preziosa e, a volte, fondamentale.

Sia come sia, non è prescritto come il principale tipo di trattamento per i pazienti con problemi di personalità borderline. Mentre le informazioni sul trattamento familiare sono ulteriormente limitate, essi propongono che un approccio psicopedagogico potrebbe essere utile. I rapporti clinici distribuiti variano nei loro suggerimenti circa l'adeguatezza del trattamento familiare e l'associazione della famiglia nel trattamento; il trattamento familiare non è prescritto come il principale tipo di trattamento per i pazienti con problemi di personalità borderline.

In generale, due metodologie psicoterapeutiche sono apparse in preliminari randomizzati controllati per avere adeguatezza: la terapia psicoanalitica/psicodinamica e la terapia dialettica del comportamento. Il trattamento dato in questi preliminari ha tre punti chiave: incontri di settimana in settimana con uno specialista individuale, almeno un incontro di gruppo di settimana in settimana, e incontri di terapeuti per la consultazione/supervisione.

Questo incoraggia i pazienti a capire come controllare i loro sentimenti, assumere la responsabilità della loro vita e utilizzare modi positivi di affrontare lo stress per attraversare le difficoltà. La psicoterapia utilizza l'accordo del "no-suicidio" per ridurre la possibilità di passare e simultaneamente, impegnare il paziente a ripudiare la propria miseria e cercare aiuto quando necessario. La psicoterapia dà anche una strada per la ricostruzione soggettiva, in cui la visione negativa e rotta di un individuo della persona in questione e del mondo viene rettificata.

Non ci sono risultati accessibili da esami diretti di questi due modi di affrontare raccomandare quali pazienti possono reagire meglio a quale tipo di trattamento. Anche se il trattamento breve per il problema della personalità borderline non è stato deliberatamente ispezionato, le indagini sul trattamento progressivamente esteso raccomandano che un generoso miglioramento non può avvenire fino a dopo circa 1 anno di mediazione psicoterapeutica; numerosi pazienti richiedono un trattamento significativamente più lungo.

Proprio come sintonizzarsi e parlare di questioni significative con te, lo psicoterapeuta può raccomandare approcci per determinare i problemi e, se fondamentale, assisterti nel cambiare la tua mentalità e condotta. Il trattamento per il BPD intende assistere gli individui a mostrare segni di miglioramento sensazione di comando su loro considerazioni e sentimenti.

La psicoterapia per il BPD dovrebbe essere trasmessa solo da un professionista preparato. Sarà di regola uno specialista, un terapeuta o un altro professionista del benessere emotivo preparato. Cercate di non essere riluttanti a ottenere alcune informazioni sulla loro esperienza.

Il tipo di psicoterapia che scegliete potrebbe essere fondato su un mix di inclinazione individuale e sull'accessibilità di farmaci espliciti nel vostro quartiere. Il trattamento per il BPD può durare un anno o più, a seconda delle vostre esigenze e di come continuate la vostra vita.

- Farmacoterapia e altri trattamenti sostanziali

La farmacoterapia viene utilizzata per trattare le manifestazioni di stato durante i periodi di intenso scompenso proprio come le vulnerabilità degli attributi. Le manifestazioni mostrate dai pazienti con problemi di personalità borderline cadono frequentemente all'interno di tre misure di condotta - piena di disregolazione dei sentimenti, discontrollo sociale imprudente, e problemi psicologici percettivi - per i quali possono essere utilizzate metodologie esplicite di trattamento farmacologico.

(I) Trattamento di pieno di effetti collaterali di disregolazione del sentimento

I pazienti con problemi di personalità borderline che mostrano questa misura mostrano responsabilità di temperamento, affettività di licenziamento, risentimento estremo sbagliato, "sbalzi d'umore" gravosi o sconvolgimenti di carattere. Queste indicazioni dovrebbero essere trattate all'inizio con un inibitore specifico della ricaptazione della serotonina (SSRI) o un energizzante correlato, per esempio, la venlafaxina. Le indagini sugli antidepressivi triciclici hanno dato risultati contrastanti. Nel momento in cui la disregolazione emotiva si presenta come disagio, il trattamento con un SSRI potrebbe mancare, e l'espansione di una benzodiazepina dovrebbe essere considerata, nonostante il fatto che l'esame di questi farmaci in pazienti con problemi di personalità borderline è limitato, e il loro utilizzo comporta alcuni rischi potenziali.

Nel momento in cui la disregolazione emotiva si presenta come un'indignazione disinibita che coincide con altre indicazioni di sentimenti, gli SSRI sono inoltre il trattamento della decisione. L'esperienza clinica propone che per i pazienti con grave decontrollo sociale, i neurolettici a bassa porzione possono essere aggiunti alla routine per una reazione rapida e un miglioramento degli effetti collaterali del sentimento.

Nonostante il fatto che la fattibilità degli inibitori delle monoamino ossidasi (IMAO) per la disregolazione emotiva in pazienti con problemi di personalità borderline ha un solido aiuto esatto, gli IMAO non sono un trattamento di prima linea a causa del pericolo di reazioni genuine e le sfide con l'aderenza alle limitazioni dietetiche richieste. Gli stabilizzatori di mentalità (litio, valproato, carbamazepina) sono un altro trattamento di seconda linea (o aggiuntivo) per la piena disregolazione dei sentimenti, nonostante il fatto che le indagini di queste metodologie sono limitate. C'è una scarsità di informazioni sulla fattibilità del trattamento elettroconvulsivo (ECT) per il trattamento degli effetti collaterali della piena disregolazione dei sentimenti nei pazienti con

L'esperienza clinica propone che mentre l'ECT può qua e là essere dimostrato per i pazienti con comorbidità grave hub I dolore che è impermeabile alla farmacoterapia, pieno di sentimento evidenzia di problema di personalità borderline sono probabilmente non andando a reagire a ECT.

Un calcolo che delinea i passi che possono essere presi nel trattamento delle indicazioni di piena disregolazione dei sentimenti nei pazienti con problemi di personalità borderline.

(ii) Trattamento degli effetti collaterali del discontrollo sociale incauto

I pazienti con problemi di personalità borderline che mostrano questa misura mostrano ostilità imprudente, automutilazione, o condotta autolesionista (per esempio, sesso sfrenato, abuso di sostanze, spese folli). Quando il discontrollo comportamentale rappresenta un pericolo genuino per il benessere del paziente, potrebbe essere importante aggiungere un neurolettico di bassa porzione all'SSRI. L'esperienza clinica propone che l'adeguatezza a metà strada di un SSRI potrebbe essere migliorata includendo il litio. Nel caso in cui un SSRI sia inefficace, si può considerare il passaggio a un IMAO. L'uso di valproato o carbamazepina può essere considerato anche per il controllo della motivazione, nonostante il fatto che non ci siano molte ricerche su questi farmaci per l'ostilità indiscreta nei pazienti con problemi di personalità borderline. Le prove di avviamento raccomandano che i neurolettici atipici possono avere una certa praticabilità per l'impulsività nei pazienti con problemi di personalità borderline.

(iii) Trattamento dei sintomi psicologici percettivi

I pazienti con problemi di personalità borderline che mostrano questa misura mostrano sospettosità, ragionamento referenziale, ideazione nevrotica, inganni, derealizzazione, depersonalizzazione, o manifestazioni simili al trip mentale. I neurolettici a bassa dose sono il trattamento di decisione per questi effetti collaterali. Questi farmaci possono migliorare la maniacalità come gli effetti collaterali così come lo stato d'animo scoraggiato, l'impulsività e la vibrazione oltraggiosa/minacciosa. Nel caso in cui la reazione sia problematica, la dose deve essere ampliata a una gamma appropriata per il trattamento del problema del perno I.

Gruppo di persone terapeutiche (TC)

Le comunità terapeutiche (TC) sono situazioni organizzate in cui gli individui con una serie di condizioni e bisogni mentali complessi si incontrano per associarsi e partecipare al trattamento.

I TC hanno lo scopo di aiutare gli individui con problemi di entusiasmo di lunga data e un background segnato dall'autolesionismo, istruendo le abilità previste per cooperare socialmente con gli altri.

La maggior parte dei TC sono privati, per esempio, in case enormi, dove si rimane per circa 1 a 4 giorni a settimana.

Così come la partecipazione al trattamento individuale e di gruppo, sareste tenuti a fare diversi esercizi destinati a migliorare le vostre abilità sociali e la vostra sicurezza di voi stessi, per esempio, compiti di unità familiare, organizzazione di cene, giochi, sport e altri esercizi ricreativi, riunioni ordinarie di rete - dove gli individui parlano di qualsiasi problema che è emerso nella rete

I centri tecnologici sono gestiti su una premessa basata sulla popolarità. Questo implica che ogni abitante e parte dello staff ha una decisione su come il TC dovrebbe essere gestito, incluso se un individuo è ragionevole per l'ammissione a quella rete.

Indipendentemente dal fatto che il tuo gruppo di considerazione pensi che tu possa trarre profitto investendo energia in un TC, questo non significa naturalmente che il TC ti permetterà di unirti.

Molti centri di assistenza stabiliscono delle regole su ciò che è considerato un comportamento degno all'interno della rete, per esempio, non bere alcolici, non essere brutali con gli altri occupanti o con il personale, e non tentare di fare del male a se stessi. Gli individui che infrangono queste regole sono tipicamente invitati a lasciare il centro.

Mentre alcune persone con BPD hanno dettagliato che il tempo trascorso in un TC ha aiutato i loro effetti collaterali, non c'è ancora abbastanza prova per dire se i TC aiuterebbero tutti con BPD.

Allo stesso modo, come risultato dei principi regolarmente severi sulla condotta, un TC non sarebbe presumibilmente appropriato se un individuo avesse notevoli difficoltà a controllare la sua condotta.

-Medicazioni;

I farmaci potrebbero essere strumentali a un piano di trattamento, ma non c'è nessun farmaco esplicitamente fatto per trattare le indicazioni centrali del BPD. O forse, alcuni farmaci possono essere utilizzati off-name per trattare diversi effetti collaterali. Per esempio, gli stabilizzatori di stato mentale e gli antidepressivi aiutano con gli sbalzi di mentalità e la disforia. Inoltre, per alcuni, la prescrizione di antipsicotici a bassa porzione può aiutare a controllare le indicazioni, per esempio, il ragionamento complicato.

Il ricovero temporaneo potrebbe essere importante in momenti di pressione straordinaria, o di condotta potenzialmente incauta o autodistruttiva per garantire la sicurezza.

Un sondaggio del 2010 dalla cooperazione Cochrane ha trovato che nessun farmaco mostra garanzia per "le indicazioni BPD centro di sentimenti interminabili di vuoto, aggravamento della personalità e rinuncia". In ogni caso, i creatori hanno trovato che alcuni farmaci possono influenzare le manifestazioni separate collegate con BPD o gli effetti collaterali delle condizioni comorbide. Un audit 2017 ha ispezionato la prova distribuita dal 2010 indagine Cochrane e ha trovato che "la prova di fattibilità della droga per BPD rimane mescolato è ancora eccezionalmente minato dalla struttura di indagine imperfetta".

Tra gli antipsicotici concentrati corrispondenti al BPD, l'aloperidolo può diminuire l'indignazione e il flupenthixol può diminuire la probabilità di comportamenti autodistruttivi. Tra gli antipsicotici atipici, un preliminare ha trovato che l'aripiprazolo può diminuire i problemi relazionali e l'impulsività.Olanzapina, proprio come quetiapina, può diminuire l'insicurezza emotiva, l'indignazione, le manifestazioni insane sospettose, e la tensione, ma un trattamento falso ha avuto un vantaggio più prominente sull'ideazione autodistruttiva di olanzapina. L'impatto di ziprasidone non era degno di nota.

Tra gli stabilizzatori di stato mentale considerati, il semisodio valproato può migliorare la tristezza, l'impulsività, i problemi relazionali e l'indignazione. La lamotrigina può diminuire l'impulsività e l'indignazione; il topiramato può migliorare i problemi relazionali, l'impulsività, la tensione, l'indignazione e la patologia mentale generale. L'impatto della carbamazepina non era critico. Tra gli antidepressivi, l'amitriptilina può ridurre l'infelicità, tuttavia mianserina, fluoxetina, fluvoxamina e fenelzina solfato non hanno dimostrato alcun impatto. I grassi insaturi Omega-3 possono aumentare la suicidalità e migliorare la miseria. A partire dal 2017, i preliminari con queste prescrizioni non sono stati ricreati e l'impatto dell'uso a lungo raggio non è stato valutato.

In vista di prove deboli e il potenziale per reazioni genuine da una parte di questi farmaci, il National Institute for Health and Clinical Excellence (NICE) britannico 2009 regola clinica per il trattamento e le esecuzioni di BPD prescrive, "Il trattamento farmacologico non dovrebbe essere utilizzato esplicitamente per il problema di personalità borderline o per le indicazioni individuali o comportamenti connessi con l'agitazione". Tuttavia, "il trattamento tranquillante potrebbe essere considerato nel trattamento generale delle condizioni comorbide". Propongono una "verifica del trattamento di individui con problemi di personalità borderline che non hanno una malattia mentale o fisica in comorbilità analizzata e a cui sono già raccomandati farmaci, con l'obiettivo di diminuire e fermare il trattamento farmacologico superfluo".

È IMPORTANTE CERCARE E SEGUIRE IL TRATTAMENTO.

Gli studi finanziati dal NIMH dimostrano che i pazienti con problemi di personalità borderline che non ricevono un trattamento soddisfacente sono destinati a creare altre instabilità cliniche o psicologiche incessanti e sono più restii a prendere solide decisioni di vita. Il problema di personalità borderline è anche collegato con un ritmo essenzialmente più alto di auto-lesionismo e condotta autodistruttiva di tutti.

Le prescrizioni non sono normalmente utilizzate come trattamento essenziale per il problema di personalità borderline perché i vantaggi sono indistinti. Ciononostante, a volte, un terapeuta può prescrivere prescrizioni per trattare manifestazioni esplicite, per esempio, sbalzi di mentalità, infelicità, o altri problemi mentali che possono verificarsi con il disturbo borderline di personalità. Il trattamento con i farmaci può richiedere la cura di più di un esperto clinico.

Alcune prescrizioni possono causare reazioni diverse in vari individui. Le persone dovrebbero conversare con il loro fornitore su cosa c'è in serbo per una specifica prescrizione.

Per i casi scandalosi, si esorta all'ospedalizzazione. Un grave dolore spingerà un individuo con un problema di personalità borderline a farla finita e a prevalere su di esso. Per prevenire questo, è necessaria una supervisione costante e un trattamento clinico rapido. Le cliniche di emergenza e le organizzazioni mentali hanno gli uffici essenziali per assicurarsi della sicurezza e del benessere della persona. Queste fondazioni hanno anche misure sufficienti di personale che potrebbe guardare e prendersi cura delle esigenze dei pazienti, in un modo che sarebbe generalmente utile per loro.

In relazione alla psicoterapia e all'ospedalizzazione, le medicine sono date per controllare gli effetti collaterali rovinosi del problema di personalità borderline e migliorare la prosperità dell'individuo. Basse porzioni di farmaci antipsicotici sono date agli individui con un problema di personalità borderline durante brevi scene di follia. Antidepressivi e ansiolitici sono ugualmente approvati per il trattamento degli stati passionali espliciti

Diversi ELEMENTI DI CURA

Alcune persone con problemi di personalità borderline sperimentano manifestazioni estreme e richiedono un'escalation di cure, regolarmente ricoverate. Altri possono richiedere farmaci ambulatoriali ma non hanno mai bisogno di ricovero o di cure di crisi.

Trattamento per i caregiver e i membri della famiglia

Anche i gruppi di individui con problemi di personalità borderline possono trarre vantaggio dal trattamento. Avere un parente con il disturbo può essere sconvolgente, e i parenti possono accidentalmente agire in modi che esacerbano le indicazioni del loro parente. Alcuni trattamenti per i problemi di personalità borderline ricordano i parenti per gli incontri di trattamento. Questi incontri aiutano le famiglie a creare capacità per comprendere e sostenere più facilmente un parente con un problema di personalità borderline. Diversi trattamenti si concentrano sulle necessità dei parenti per aiutarli a capire gli impedimenti e le procedure per pensare a qualcuno con un problema di personalità borderline. Anche se si attendono ulteriori ricerche per decidere la fattibilità del trattamento familiare nel disturbo borderline di personalità, le concentrazioni su altri problemi mentali propongono che includere i parenti può aiutare nel trattamento di un individuo.

DIAGNOSI

La determinazione dipende dalle manifestazioni, mentre una valutazione clinica potrebbe essere fatta per escludere diversi problemi. La condizione deve essere separata da un problema di carattere o di uso di sostanze, tra le diverse prospettive.

Tragicamente, il disturbo borderline di personalità è spesso sottodiagnosticato o mal diagnosticato.

Un professionista del benessere psicologico esperto nella diagnosi e nel trattamento dei disordini mentali, per esempio, un terapeuta, un analista, un lavoratore sociale clinico o un assistente medico mentale, può riconoscere il problema della personalità borderline dipendente da un incontro esaustivo e da una conversazione sugli effetti collaterali. Un test clinico cauto e intensivo può aiutare a governare con trip altre ragioni potenziali per le indicazioni.

L'esperto di benessere emozionale può ottenere alcune informazioni sulle indicazioni e sui resoconti clinici individuali e familiari, compresa qualsiasi storia di disadattamenti psicologici. Questi dati possono aiutare il professionista del benessere psicologico a stabilire il miglior trattamento. Di tanto in tanto, le instabilità psicologiche che coesistono possono avere manifestazioni che coprono il problema di personalità borderline, rendendo difficile riconoscere il problema di personalità borderline da altri comportamenti disfunzionali. Per esempio, un individuo può rappresentare sentimenti di tristezza ma non può portare diversi effetti collaterali alla considerazione dell'esperto di benessere emotivo.

Nessun singolo test può analizzare il problema della personalità borderline. I ricercatori sovvenzionati dal NIMH stanno cercando approcci per migliorare la scoperta di questo problema. Un'indagine ha scoperto che gli adulti con un problema di personalità borderline hanno indicato risposte passionali superiori quando hanno dato un'occhiata a parole con implicazioni terribili, in contrasto con gli individui solidi. Gli individui con un problema di personalità borderline sempre più estremo hanno dimostrato una reazione passionale più intensa rispetto agli individui che avevano un problema di personalità borderline meno grave.

Il BPD è normalmente trattato con un trattamento, per esempio la terapia cognitivo comportamentale (CBT)]. Un altro tipo, il trattamento della condotta argomentativa (DBT), può diminuire il pericolo di suicidio. Il trattamento può avvenire uno-a-uno o in una riunione. Mentre le prescrizioni non risolvono il BPD, potrebbero essere utilizzate per aiutare con i sintomi correlati.

Valutazione;

La vostra valutazione sarà presumibilmente completata da un maestro in materia di personalità, tipicamente un clinico o uno specialista.

Per analizzare il BPD si utilizzano criteri percepiti a livello globale. Una constatazione può essere fatta di regola nel caso in cui si risponda "sì" ad almeno 5 delle domande di accompagnamento:

Hai un timore eccezionale di essere ignorato, che ti fa agire in maniere che, tutto sommato, appaiono strane o straordinarie, per esempio, chiamare continuamente qualcuno (escludendo comunque una condotta autolesionista o autodistruttiva)?

Hai un esempio di associazioni straordinarie e inconsistenti con altri che passano dall'intuizione di amare quell'individuo e che è brillante all'aborrire quell'individuo e credere che sia orrendo?

Avete mai la sensazione di non avere il vostro solido sentimento di sé e di essere indistinti sulla vostra visione mentale di voi stessi?

Partecipi a esercizi incauti in 2 regioni che sono probabilmente dannosi, per esempio, il sesso pericoloso, l'abuso di farmaci o le spese folli (tuttavia escludendo l'autolesionismo o la condotta autodistruttiva)?

Avete fatto rivivere i pericoli o i tentativi di suicidio di un bel po' di tempo fa e vi siete occupati dell'autolesionismo?

Hai gravi episodi emotivi, per esempio, sentirti fortemente scoraggiato, nervoso o di cattivo umore, che durano da un paio d'ore a un paio di giorni?

Avete sentimenti di vuoto e di sconforto a lungo termine?

Avete improvvisi ed estremi sentimenti di indignazione e animosità, e regolarmente pensate che sia difficile controllare il vostro fastidio?

Quando ti ritrovi in circostanze sconvolgenti, hai sentimenti di sfiducia, o hai la sensazione di essere disimpegnato dal mondo o dal tuo corpo, dalle tue contemplazioni e dalla tua condotta?

Coinvolgere i propri parenti;

Quando un'analisi del BPD è stata affermata, si suggerisce di raccontare la conclusione alla famiglia stretta, ai compagni e alle persone di cui ci si fida.

Ci sono alcuni scopi dietro questo.

Un numero significativo di indicazioni del BPD influenza le vostre associazioni con le persone vicine a voi, quindi includerle nel vostro trattamento può renderle consapevoli della vostra condizione e rendere il vostro trattamento progressivamente convincente.

I vostri cari sarebbero quindi in grado di stare all'erta per qualsiasi comportamento che possa dimostrare che state avendo un'emergenza.

Possono anche trarre profitto dai gruppi di cura nelle vicinanze e dalle diverse amministrazioni per gli individui che hanno una relazione con un individuo con BPD.

Sia come sia, la scelta di discutere della vostra condizione è totalmente vostra, e la vostra segretezza sarà considerata coerentemente.

-Ricerca/Ricerca in corso per migliorare la determinazione del disturbo borderline di personalità?

Le ricerche in corso di neuroimaging mostrano contrasti nella struttura e nella capacità del cervello tra individui con problemi di personalità borderline e individui che non hanno questa malattia. Alcuni esami propongono che i territori cerebrali associati alle reazioni di entusiasmo diventano iperattivi negli individui con problemi di personalità borderline quando eseguono compiti che vedono come contrari.

Gli individui con l'agitazione mostrano anche meno azione nelle regioni del cervello che aiutano a controllare i sentimenti e le motivazioni forti e permettono agli individui di comprendere l'impostazione di una circostanza. Queste scoperte possono aiutare a chiarire gli stati d'animo insicuri e qua e là pericolosi normali per il problema di personalità borderline.

Un altro esame ha dimostrato che, quando si guardavano immagini sinceramente pessimistiche, gli individui con problemi di personalità borderline utilizzavano varie zone del cervello rispetto agli individui senza disturbi. Quelli con il disturbo userebbero in generale le zone del cervello identificate con le attività riflessive e la prontezza, il che potrebbe rivelare la propensione ad agire in modo indiscreto sui segnali entusiastici.

Queste scoperte potrebbero illuminare gli sforzi per far crescere test sempre più espliciti per analizzare il problema della personalità borderline

Cosa scatena il disturbo borderline di personalità;

Molte persone con il disturbo borderline di personalità (BPD) hanno dei fattori scatenanti, cioè occasioni o circostanze specifiche che peggiorano o aumentano le loro indicazioni. I fattori scatenanti del BPD possono variare da individuo a individuo, tuttavia ci sono alcuni tipi di fattori scatenanti che sono estremamente fondamentali nel BPD.

Per esempio, gli individui con un problema di personalità borderline possono sentirsi furiosi e preoccupati per piccole separazioni, per esempio, escursioni, escursioni di lavoro, o inaspettati cambiamenti di piani da parte di persone a cui si sentono vicini. Gli studi dimostrano che gli individui con questo problema possono vedere l'oltraggio in un volto sinceramente imparziale e avere una risposta più fondata alle implicazioni pessimistiche wordswith rispetto agli individui che non hanno il disturbo.

I pochi tipi di trigger che sono estremamente fondamentali nel BPD;

Trigger di relazione

I fattori scatenanti del BPD più noti sono i fattori scatenanti delle relazioni o problemi relazionali. Numerosi individui con BPD sperimentano terrore e indignazione straordinari, condotta incauta, autolesionismo e persino pensieri suicidi nelle occasioni di relazione che li fanno sentire respinti, censurati o abbandonati. Questa è una meraviglia chiamata affettività di diserzione o di licenziamento.

Per esempio, potete sentirvi attivati quando lasciate un messaggio per un compagno e non ricevete una risposta. Forse dopo aver messo la chiamata, rimanete in attesa per un paio d'ore, e poi cominciate a fare riflessioni del tipo: "Non mi risponde, dovrebbe essere sconvolta da me". Queste contemplazioni possono avvolgersi da quel punto in cose come: "Lei presumibilmente mi detesta", o "Non avrò mai una compagna che mi stia vicino". Con queste considerazioni a spirale arrivano effetti collaterali a spirale, per esempio, sentimenti eccezionali, indignazione e desideri di autolesionismo.

Trigger psicologici

Alcune volte si potrebbe essere attivati da occasioni interne, per esempio, considerazioni che possono apparentemente lasciare il blu. Questo è particolarmente valido per gli individui che hanno il BPD identificato con orribili disavventure come l'abuso infantile.

Per esempio, un ricordo o un'immagine di un incontro passato, simile a un orrendo contrattempo o a una disgrazia, può scatenare sentimenti straordinari e altri effetti collaterali del BPD. Il ricordo non deve essere davvero un ricordo sconvolgente per scatenare gli effetti collaterali. Alcune persone sono attivate da ricordi di buone occasioni di un tempo precedente, che possono una volta ogni tanto essere un aggiornamento che le cose non sono così accettabili a questo punto.

Condizioni correlate

Il BPD può essere difficile da analizzare e trattare, e un trattamento efficace comprende la cura di alcune altre condizioni che un individuo può avere. Molti con BPD sperimentano anche altre condizioni come:

BPD e altri problemi di salute emotiva/mentale. È del tutto prevedibile incontrare altri problemi di benessere emotivo vicino al BPD, che potrebbero includere: tensione e attacchi d'ansia, disordini dissociativi, psicosi, confusione bipolare.

Altro problema di personalità

Disturbi di disagio

Disturbo da stress post-traumatico

Problemi alimentari (soprattutto bulimia nervosa)

Depressione

Disturbo bipolare

Disturbo da deficit di attenzione/iperattività (ADHD)

Disturbi da uso di sostanze/doppia diagnosi

Disturbo da stress post-traumatico (PTSD)

Suicidio e autolesionismo

La condotta autolesionista incorpora il suicidio e i tentativi di suicidio, così come le pratiche di autolesionismo, raffigurate qui sotto.

Ben l'80% degli individui con disturbo borderline di personalità ha pratiche autodistruttive e circa il 4-9% finisce tutto.

Il suicidio è uno dei risultati più terribili di qualsiasi instabilità psicologica. Alcuni farmaci possono aiutare a ridurre le pratiche autodistruttive negli individui con problemi di personalità borderline. Per esempio, un esame ha dimostrato che la terapia dialettica del comportamento (DBT) ha diminuito i tentativi di suicidio nelle donne in modo significativo, in contrasto con diversi tipi di psicoterapia, o trattamento di conversazione. La DBT ha anche diminuito l'utilizzo della stanza di crisi e dei benefici ospedalieri e ha tenuto più membri in trattamento, in contrasto con diversi modi di affrontare il trattamento.

Non come i tentativi di suicidio, i comportamenti autolesionisti non hanno origine dal desiderio di tirare le cuoia. In ogni caso, alcune pratiche autolesioniste potrebbero essere pericolose. Le pratiche autolesionistiche collegate al disturbo borderline di personalità comprendono il tagliare, consumare, colpire, sbattere la testa, tirare i capelli e altri atti distruttivi. Gli individui con un problema di personalità borderline possono auto-mischiarsi per aiutare a gestire i loro sentimenti, per respingere se stessi, o per comunicare la loro agonia. Generalmente non considerano queste azioni come pericolose

COMPORTAMENTI AUTOLESIONISTI

Il problema di personalità borderline è correlato a ritmi più elevati di suicidio e pratiche di autolesionismo. I pazienti con problemi di personalità borderline che stanno pensando di farsi del male o di tentare il suicidio hanno bisogno di assistenza immediatamente.

Il problema della personalità borderline si verifica frequentemente con altre malattie psicologiche. Questi problemi che si verificano insieme possono rendere più difficile l'analisi e il trattamento del problema di personalità borderline, in particolare se le indicazioni di altre malattie si coprono con gli effetti collaterali del problema di personalità borderline. Per esempio, un individuo con un problema di personalità borderline potrebbe essere destinato a incontrare anche manifestazioni di infelicità significativa, confusione bipolare, problemi di tensione, abuso di sostanze o problemi alimentari.

BPD E BIPOLARE;

Il Disturbo Borderline di Personalità non è così basilare come il Bipolare, il 20% delle affermazioni della clinica medica per disadattamento psicologico sono determinate per avere questo problema, mentre il 50% dei ricoveri per comportamento disfunzionale sono pazienti bipolari. Le giovani donne sono il gruppo progressivamente conosciuto per creare il Disturbo di Personalità Borderline, mentre il bipolare influenza le due persone allo stesso modo, senza badare all'età.

Gli episodi emotivi, per esempio, la tensione, lo sconforto e le vampate selvagge sono conosciute sui due pazienti con Disturbo Borderline di Personalità e quelli con Bipolare. Nei pazienti bipolari questi effetti collaterali possono durare settimane o mesi in un ciclo, mentre nel Disturbo Borderline di Personalità potrebbero durare solo un paio d'ore o un giorno.

Con il Disturbo Borderline di Personalità, un paziente può arrivare a periodi in cui non ha la minima idea di quali siano le sue preferenze, di chi sia come individuo o delle sue inclinazioni. I loro obiettivi a lungo termine possono cambiare frequentemente, e tentare di aderire ad un'azione diventa fastidioso. Seguono, senza pensarci veramente, ingozzamenti, abbuffate di shopping e possono godere di contatti sessuali con estranei. Anche la follia è presente nei pazienti bipolari.

I pazienti con il Disturbo Borderline di Personalità sperimentano allo stesso modo il vuoto, i sentimenti di essere fraintesi o abusati e l'inutilità; molto simile alle indicazioni sentite nella miseria dei pazienti con il Bipolare.

Per quanto riguarda le connessioni, un paziente con Disturbo Borderline di Personalità avrà limiti di essere completamente innamorato o di disprezzare qualcuno con entusiasmo. Brevemente saranno innamorati, a quel punto un po' di fastidio o di lotta li farà in una frazione di secondo aborrire quell'individuo. Nel caso in cui abbiano paura di essere abbandonati, il paziente si scoraggia, si sente respinto e può minare il suicidio. I pazienti bipolari hanno anche questi problemi per quanto riguarda le connessioni.

I farmaci per i due problemi sono inoltre comparabili. Uno specialista raccomanderà sia il farmaco che il trattamento, la decisione preferita. La terapia cognitivo-comportamentale è stata inizialmente sviluppata in pazienti con disturbo borderline di personalità, ma ha visto come fruttuoso per i pazienti bipolari. Ci sono diverse prescrizioni per entrambe le instabilità psicologiche che hanno ottenuto risultati accettabili.

C'è un pensiero minimo sulle due malattie che si crede siano ereditarie o a causa della terra. La ricerca mostra che l'idea di Bipolare è progressivamente naturale e genetica, anche se il Disturbo Borderline di Personalità è previsto più agli aggiornamenti della terra e delle circostanze.

Queste somiglianze mostrano che entrambe le malattie sono difficili da riconoscere e analizzare, anche per gli specialisti e i clinici. Ogni individuo che sta sperimentando questi effetti collaterali dovrebbe avere una guida clinica o professionale per la giusta conclusione e trattamento. L'autodeterminazione non è l'approccio più ideale per trattare le proprie manifestazioni, in particolare con il disturbo bipolare e il disturbo borderline di personalità. Uno specialista o un analista è l'individuo migliore per esortare tutti insieme per un trattamento efficace da approvare, e darvi l'opportunità più evidente per affrontare la vostra malattia psicologica per un futuro superiore.

Amare una persona con BPD;

Dovremmo esaminare i significativi effetti collaterali del disturbo borderline di personalità (BPD):

Hanno legami violenti e tempestosi, che rendono difficile mantenere il lavoro o una relazione accogliente.

Hanno visitato entusiasti sconvolgimenti, comunicando frequentemente il loro shock con attacchi esuberanti, aggressioni fisiche o dimostrazioni di punizione.

Nonostante il fatto che siano intensamente suscettibili di essere ceduti e respinti, sono brutalmente denigratori nei confronti di coloro che gli sono più vicini.

Vedono gli altri come "grandi" o "orribili". Un compagno, un genitore o uno specialista potrebbe essere romanticizzato un giorno, ma visto il giorno seguente come un individuo orribile per aver trascurato di soddisfare le loro speranze.

Possono continuare con azioni sconsiderate (per esempio la guida selvaggia, lo shopping abituale, il taccheggio, il taglio, l'ingozzamento con il cibo, il liquore, la droga o il sesso indiscriminato) come approccio per combattere i sentimenti di vuoto intollerabile.

I personaggi borderline vanno dal dolce all'estremo. Di solito sono solo le persone che conoscono personalmente i borderline a conoscere il grado delle loro sfide entusiastiche.

Quindi, come si può amare qualcuno con un disturbo borderline di personalità tale da rispettare sia loro che te stesso? Regolarmente, si comincia con il riconoscere la realtà del BPD, preparandosi per se stessi nella relazione, e fermando gli elementi di soccorritore-soccorritore. È fondamentale ricordare, tuttavia, che non si può recuperare il BPD della persona amata. Piuttosto, è fondamentale promettere un trattamento di prima qualità.

Adorare qualcuno con un disturbo borderline di personalità non è semplice. Guardare la persona amata combattere con un profondo disturbo interiore, organizzare un sentimento fluttuante della personalità e incontrare una crudezza di sentimenti così significativa può essere angosciante. Regolarmente, anche le comunicazioni ordinarie possono essere appesantite da potenziali pericoli. L'instabilità entusiastica insita nel disturbo può lasciarti confuso, senza mai sapere dove ti trovi o cosa succederà subito. Infatti, anche in minuti sereni, si può incontrare una tensione nascosta su quando l'altra scarpa cadrà. Fraintenderà il mio tono? Lo accetterà come un'indicazione di licenziamento? Oggi sarà una battaglia?

Indipendentemente dal fatto che siate un parente, un compagno o un complice di qualcuno con un disturbo borderline di personalità, mantenere una relazione solida può essere una prova. In effetti, ci potrebbero essere dei minuti in cui ci si chiede se sia necessario mantenere una relazione. Per incoraggiare un legame solido, è essenziale capire come amare qualcuno con un disturbo borderline di personalità tale da sostenere entrambi.

Riconoscere la realtà del BPD

Gli individui che hanno un disturbo borderline di personalità (BPD) non sono solo fastidiosi. Non stanno vendicativamente cercando di farvi del male. Gli effetti collaterali del disturbo borderline di personalità emergono da un profondo dolore mentale aggravato da un'assenza di risorse passionali per adattarsi ai sentimenti opprimenti. Di tanto in tanto, le basi sottostanti a questa infelicità sono situate in incontri precoci di lesioni, che disturbano la capacità di inquadrare connessioni sicure e un forte sentimento di sé. Tuttavia, il BPD non è costantemente stabilito nel pregiudizio; il BPD può emergere senza una storia iniziale riconoscibile. È fondamentale ricordare che, indipendentemente dalla presenza o meno di un trauma, i sentimenti che il vostro caro sta provando sono autentici per lui, indipendentemente dal fatto che vi sembrino insensati.

Ovviamente, avere una relazione con qualcuno che ha sentimenti che non hanno una premessa nel vostro mondo può essere estremamente problematico. Potreste avere la sensazione di parlare al di là del vostro adorato, o che le vostre parole e i vostri atti non stanno arruolando nel modo che vi aspettate. In verità, è proprio questo che sta succedendo. Per avere una relazione solida, dovreste capire come adattarvi a questa distinzione tra fattori reali. L'approccio più ideale per farlo non è quello di tentare di persuaderli che non sono corretti; infatti, facendo così probabilmente li farà sentire aggrediti, e probabilmente reagiranno allontanandovi. Piuttosto, capire come approvare le loro emozioni e riconoscere la realtà dei loro incontri.

L'approvazione è un fissaggio centrale per adorare qualcuno con un disturbo borderline di personalità. Quindi cosa comporta precisamente? Per esempio, se il vostro adorato è irritato per il fatto che pensa che lo stiate respingendo, dite: "Vedo che vi sentite ferito perché avete pensato che vi stessi respingendo, deve essere orribile". Fare questo richiede tolleranza e compostezza; potrebbe essere molto difficile non saltare dentro e tentare di persuaderli che non li stavate liquidando in ogni caso. Tuttavia, comprendete che l'hanno appena vissuto come un licenziamento, prestando poca attenzione alla vostra aspettativa. Per così dire, sono in mezzo al lamento di una disgrazia che si sente altrettanto genuina per loro come se voi li aveste senza dubbio licenziati. Permettendo loro di sentire le loro emozioni e prendendo posizione riguardo alla loro agonia senza giudizio, state dando loro amore mentre vi tenete lontani da uno scontro inutile.

Allo stesso tempo, non attribuite la totalità dei sentimenti del vostro caro al disturbo borderline di personalità. Avere il BPD non implica che qualcuno non possa avere lamentele autentiche o che i suoi sentimenti siano costantemente determinati dalla rottura. Riconoscete l'intera umanità della vostra persona amata, pensate a ciò che vi sta facendo sapere, e concedete i pasticci nel caso in cui li facciate.

Preparati per te stesso

Spesso, l'individuo con disturbo borderline di personalità può diventare il punto focale di convergenza in una relazione e può sembrare che ci sia poco spazio per voi. Assicuratevi di essere un membro funzionante nella vostra relazione. Esprimete i vostri sentimenti, i vostri bisogni e le vostre contemplazioni. Offrite i vostri resoconti, le vostre battaglie e i vostri piaceri; tutto sommato, anche se la persona che amate può combattere con la BPD, allo stesso modo vi ama, vale e ha bisogno di conoscervi. Una relazione legittima può avvenire quando i due membri si aggiungono per creare un legame sociale significativo. Permettete a voi stessi e al vostro amato di avere questa possibilità.

Allo stesso tempo, non siate riluttanti a definire dei limiti e trasmetterli tranquillamente e chiaramente. I limiti possono all'inizio essere presi come un'indicazione di rifiuto e scatenare il timore di abbandono della persona amata, ma sono fondamentali per garantire che la vostra relazione rimanga solida e vi dà le due regole per ciò che è giusto e ciò che non lo è. Cercate di non stupirvi se la persona amata mette alla prova i vostri limiti con l'obiettivo finale di consolarsi del vostro affetto;

questo è tipico ed è guidato da paure profondamente sentite. Dopo un po' di tempo, tuttavia, è probabile che la persona amata capisca che i limiti e l'amore possono esistere insieme e che avere dei limiti non significa averli abbandonati.

Smettere di salvare

Nella nota mente creativa, gli individui con disturbo borderline di personalità possono essere visti qua e là come animali delicati che non riescono a divertirsi. "L'interpretazione errata è che i borderline sono individui non funzionanti, tuttavia i borderline saranno in generale individui eccezionalmente accorti e studiosi. "La maggior parte delle volte sono in realtà estremamente avanzati". Sfortunatamente, anche gli individui astuti possono cadere in elementi di salvataggio-riscatto quando il disturbo borderline di personalità entra nell'immagine.

L'appassionata mancanza di difese degli individui con BPD può rendere semplice accettare che hanno bisogno di essere salvati, in particolare nelle istantanee di emergenza della sega. Si può rimbalzare nel lavoro per affetto, per paura, o entrambi. Così, il vostro adorato può arrivare a considerare il vostro essere come verifica del vostro affetto, controllando incidentalmente il loro timore di disertare mentre allo stesso tempo si sviluppa sempre più soggetto a voi. Nel frattempo, potreste iniziare a trarre il vostro sentimento di personalità e di valore dal vostro lavoro di soccorritore; può essere bello essere richiesti.

Questa dinamica, anche se potrebbe sembrare migliorare per un periodo, alla fine è rovinosa per entrambi, in qualche misura, per il fatto che ottenere l'approvazione, il valore e la prova di affetto dal salvare o essere salvaguardati implica che ci deve essere sempre qualcosa da cui essere salvati. In questo momento, la cosa è il disturbo borderline di personalità. Quando la sintomatologia di una malattia diventa il luogo in cui si comunica e si ottiene l'amore, c'è poca ispirazione per recuperare. In realtà, in questo momento il recupero stesso può apparire come un pericolo; immaginate uno scenario in cui la persona amata non ha più bisogno di preoccuparsi di voi.

Combattete la tentazione di salvaguardare per evitare di cadere in disegni di relazioni dannose che possono sconvolgere il recupero, alimentare la mancanza di difesa e portare all'odio tra le due parti. Percepisci le capacità del tuo amato e aiutalo a capire il suo potenziale invece di assumere le sue difficoltà al posto suo. Dite loro che li sostenete e che avete fiducia in loro. Aiutali a trovare il modo di diventare progressivamente indipendenti, non meno.

Sostenere un trattamento di alta qualità

Un pezzo fondamentale dell'adorare qualcuno con un disturbo borderline di personalità è capire che non potete aggiustarlo.

Potete avere una relazione vicina, adorante e significativa con loro e offrire un aiuto inestimabile, ma non potete riparare la loro malattia. Quello che potete fare è assisterli nell'interfacciarsi con grandi scelte di trattamento.

Mentre una volta si accettava che il disturbo borderline di personalità fosse irrimediabilmente incurabile, attualmente ci rendiamo conto che questo è generalmente falso. Oggi, i clinici di talento utilizzano una serie di modalità correttive, tra cui DBT e trattamenti incentrati sulle lesioni, per aiutare i clienti a trovare un aiuto duraturo dagli effetti collaterali del BPD e ristabilire la concordanza entusiastica e sociale. Spesso, i programmi di trattamento privato sono la scelta migliore per gli individui che lottano con il BPD, perché permette loro di interessarsi a una vasta gamma di trattamenti personalizzati per i loro bisogni eccezionali. Inoltre, l'impostazione privata energizza la base rapida di confidenze in coalizioni riparatrici che sono così fondamentali nel trattamento del BPD. Circondato da clinici e compagni comprensivi, il vostro caro può creare importanti attitudini di adattamento e praticarle in una condizione protetta e costante.

Ovviamente, un pezzo fondamentale della guarigione dal disturbo borderline di personalità è fare associazioni relazionali più solide e sempre più stabili con amici e familiari. I grandi programmi di trattamento privato offrono un trattamento familiare e di coppia per indirizzare voi e il vostro caro attraverso un processo di recupero reciproco. Con l'assistenza di clinici esperti, potrete indagare su come sostenere la persona amata, distinguere eventuali elementi di relazione sfortunati e creare una solida base per andare avanti. Insieme, potete produrre un legame più profondo e una relazione più benefica e soddisfacente.

Come possono gli altri aiutare un compagno o un parente con BPD;

La prima e più significativa cosa che puoi fare è aiutare il tuo compagno o parente a ottenere la diagnosi e il trattamento corretti. Potrebbe essere necessario prendere un accordo e andare con il tuo compagno o parente a vedere lo specialista.

Esortare la persona in questione a rimanere in trattamento o a cercare un trattamento diverso se i tratti del disturbo non sembrano migliorare con il trattamento attuale.

Nel caso in cui qualcuno a cui tieni abbia la BPD, potresti a volte pensare che sia difficile comprendere i suoi sentimenti o la sua condotta, o capire come aiutarlo. In ogni caso, ci sono un sacco di cose positive che potete fare per aiutarli:

Tenta di mostrare moderazione. Se c'è una possibilità che il vostro caro stia lottando per gestire i suoi sentimenti, fate uno sforzo per non impegnarvi in una disputa apparentemente di punto in bianco. Potrebbe essere più intelligente aspettare fino a quando entrambi vi sentite più tranquilli per parlare delle cose.

Cerca di non giudicarli. Cercate di ascoltarli senza rivelare loro che stanno esagerando o che non dovrebbero sentirsi nel modo in cui si sentono. Indipendentemente dal fatto che tu capisca perché si sentono così, e che tu pensi o meno che sia ragionevole, è comunque come si sentono ed è imperativo riconoscerlo.

Siate calmi e affidabili. Nel caso in cui il vostro adorato stia incontrando una tonnellata di sentimenti opprimenti, questo potrebbe aiutarlo ad avere un senso di sicurezza e di sostegno e lo aiuterà nei momenti di conflitto.

Aiutateli a ricordare tutte le loro caratteristiche positive. Nel momento in cui qualcuno a cui tieni sta pensando che è difficile pensare qualcosa di bello su di sé, tende ad essere consolante sentire tutte le cose positive che trovi in lui.

Cercate di definire limiti e desideri chiari. Nel caso in cui la persona amata si senta incerta sull'essere respinta o abbandonata, o sembri essere stressata per essere trascurata, può essere molto utile assicurarsi che entrambi vi rendiate conto di cosa potete aspettarvi l'uno dall'altro.

Pianifica in anticipo. Nel momento in cui l'individuo che state sostenendo si sente in modo ammirevole, chiedetegli come potete permettergli di fare meglio quando le cose sono difficili.

Acquisite familiarità con i loro fattori scatenanti. Conversate con il vostro caro e cercate di scoprire che tipo di circostanze o discussioni possono scatenare considerazioni e sentimenti negativi.

Familiarizzate con il BPD e aiutate a sfidare la disgrazia. Il BPD è una conclusione confusa, e il vostro adorato potrebbe una volta ogni tanto aver bisogno di gestire i giudizi sbagliati degli altri nel tentativo di affrontare il suo problema di benessere emotivo.

Offrire aiuto entusiasta, ottenere, tolleranza e consolazione: il cambiamento può essere fastidioso e sorprendente per gli individui con problemi di personalità borderline, ma è possibile che mostrino segni di miglioramento dopo qualche tempo.

Informatevi sui problemi mentali, compreso il problema della personalità borderline, in modo da poter comprendere cosa sta incontrando il vostro compagno o parente.

Con il consenso del vostro compagno o parente, parlate con il loro terapeuta per scoprire i trattamenti che possono includere i parenti, per esempio la DBT-FST.

Non trascurare mai le osservazioni sull'obiettivo o il piano di qualcuno di fare del male a se stessi o ad un'altra persona. Riferisci tali osservazioni allo specialista dell'individuo. In circostanze terribili o possibilmente pericolose, potrebbe essere necessario chiamare la polizia.

Ecco un paio di raccomandazioni:

Essere coerenti e prevedibili

Qualsiasi cosa abbiate detto al vostro caro che farete (o non farete), mantenete la vostra affermazione. Se siete il beneficiario di un feroce sconvolgimento di accuse o di un'emergenza di pianto, non sarà semplice. Tuttavia, nel caso in cui vi arrendete allo shock, la condotta borderline è fortificata. Inoltre, nel caso in cui pensiate che i vostri problemi siano terribili ora, semplicemente fermatevi!

Energizzare la responsabilità

Cerca di non diventare il salvatore del tuo caro. Cercate di non essere controllati per assumere la responsabilità delle sue attività sconsiderate. Nella remota possibilità che lui distrugga il veicolo, non sostituirlo. Nella remota possibilità che accumuli responsabilità non pagate per il visto, non salvatela. Nella remota possibilità che continuiate a proteggerla dai risultati delle sue attività, lei avrà zero motivazioni per cambiare.

Offrire un feedback onesto

Cercate di non fortificare la convinzione del vostro adorato di essere stato trattato in modo irragionevole, tranne se immaginate davvero che sia valido. Gli individui con BPD saranno in generale ignoranti su come la loro condotta abbia un impatto sugli altri. D'ora in poi, offrite un contributo genuino.

Dite: "Mi rendo conto che ci si sente viziati quando si viene licenziati", ma non concordate con la sua valutazione che è tutto un risultato diretto di quegli individui terribili e meschini per cui ha lavorato.

Cerca di non far degenerare la discussione

Il tuo caro può confondere ciò che vuoi dire. Offri un'analisi preziosa e vieni accolto da una filippica su quanto sei terribile. Offri un elogio e sei accusato di essere denigratorio. Chiarisci i tuoi obiettivi e i sentimenti aumentano. Cerca di non farti guidare in una vana contesa. Fai uno sforzo valoroso per mantenere il tuo sangue freddo e la tua stabilità mentale nonostante ti senta sconcertato, fragile e sconfitto dalla condotta della persona amata.

Consigli di auto-aiuto

Suggerimento 1: imparare a controllare l'impulsività e sopportare i problemi

I sistemi di quiete di cui si è parlato sopra possono permettervi di rilassarvi quando cominciate a essere distrutti dalla pressione. Sia come sia, cosa fate quando vi sentite sopraffatti da sentimenti fastidiosi? È qui che entra in gioco l'impulsività del problema di personalità borderline (BPD). Senza pensarci troppo, siete così frenetici da fare qualsiasi cosa, comprese le cose che vi rendete conto che non dovreste fare, per esempio tagliare, fare sesso imprudente, guidare in modo pericoloso e bere di brutto. Potrebbe anche sembrare che tu non abbia una decisione.

È essenziale percepire che queste pratiche incaute riempiono un bisogno. Sono modi di affrontare lo stress per gestire i problemi. Ti fanno sentire meglio, anche se solo per un breve minuto. Tuttavia, i costi a lungo termine sono incredibilmente alti.

Riconquistare il controllo della propria condotta inizia con il capire come sopportare i problemi. È la via per cambiare i pericolosi esempi di BPD. La capacità di sopportare il dolore vi assisterà con lo schiacciamento di stop quando avete il desiderio di continuare. Piuttosto che rispondere ai sentimenti fastidiosi con pratiche inutili, capirete come affrontarli rimanendo responsabili dell'esperienza.

Adattare allo stesso modo come:

Conversa con il tuo medico di base sulle scelte di trattamento e attieniti al trattamento

Tentare di mantenere un orario costante di cene e tempi di riposo

Partecipare a movimenti tranquilli o esercizi per aiutare a diminuire la pressione

Stabilisci degli obiettivi ragionevoli per te stesso

Separare le grandi commissioni in piccole, fissare alcuni bisogni e fare quello che si può, come si può

Tentare di investire energia con gli altri e confidare in un compagno o parente confidente

Illuminare gli altri riguardo alle occasioni o circostanze che possono scatenare le manifestazioni

Anticipare che le vostre manifestazioni dovrebbero migliorare gradualmente, non subito

Riconoscere e cercare circostanze, luoghi e persone consolanti

Quando la reazione di battaglia o di fuga è attivata, è assolutamente impossibile "pensare te stesso" tranquillo. Piuttosto che concentrarti sulle tue considerazioni, concentrati su ciò che stai sentendo nel tuo corpo. L'esercizio che accompagna l'istituzione è un approccio diretto e veloce per rallentare l'impulsività, calmarsi e recuperare il controllo. Può avere un effetto importante in solo un paio di brevi minuti.

Trova un posto tranquillo e siediti in una posizione piacevole.

Concentrati su ciò che stai incontrando nel tuo corpo. Senti la superficie su cui sei appollaiato. Senti i tuoi piedi sul pavimento. Senti le tue mani in grembo.

Concentrati sulla tua respirazione, facendo respiri moderati e pieni. Inspira gradualmente. Sospendere per un controllo di tre.

A quel punto inspira gradualmente, ritardando di nuovo per un controllo di tre. Continua a fare questo per alcuni minuti.

In caso di crisi, deviati

Nel caso in cui i vostri sforzi per calmarvi non stiano funzionando e state cominciando a sentirvi sopraffatti da desideri pericolosi, distogliervi può aiutarvi. Tutto ciò di cui avete bisogno è qualcosa che catturi la vostra concentrazione abbastanza a lungo perché la motivazione negativa se ne vada. Qualsiasi cosa che attiri la vostra considerazione può funzionare, ma l'interruzione è migliore quando il movimento è anche alleviante. Nonostante le procedure basate sul tatto a cui si è già fatto riferimento, ecco alcune cose che si possono tentare:

Siediti davanti alla televisione. Scegli qualcosa che sia contrario a ciò che senti: una satira, se ti senti triste, o qualcosa di rilassante se sei furioso o disturbato.

Realizza qualcosa che ti piace e che ti tiene occupato. Potrebbe essere qualsiasi cosa: piantare, dipingere, suonare uno strumento, cucire, sfogliare un libro, giocare al PC o fare un Sudoku o un puzzle di parole.

Dedicati completamente al lavoro. Puoi anche distrarti con compiti e mansioni: pulire la casa, realizzare lavori di giardinaggio, andare a fare la spesa per il cibo, preparare il tuo animale domestico o fare l'abbigliamento.

Diventa dinamico. L'esercizio incredibile è un buon metodo per far salire l'adrenalina e scaricare la pressione. Se ti senti concentrato, potresti aver bisogno di tentare anche esercizi di rilassamento, per esempio lo yoga o una passeggiata nel tuo quartiere.

Chiama un compagno. Conversare con qualcuno di cui ci si fida può essere un approccio rapido e profondamente praticabile per distrarsi, sentirsi molto meglio e aumentare il punto di vista.

Suggerimento per il miglioramento di sé 2: calmare la tempesta passionale

Come qualcuno con BPD, molto probabilmente hai investito una grande quantità di energia per combattere le tue forze motrici e i tuoi sentimenti, quindi il riconoscimento può essere una cosa intensa da capire. Sia come sia, tollerare i tuoi sentimenti non significa favorirli o arrendersi al tormento. Tutto ciò che implica è che si smette di tentare di combattere, stare lontano da, soffocare o negare ciò che si sente. Dare a te stesso il consenso di avere questi sentimenti può rimuovere gran parte della loro capacità.

Tenta di sperimentare semplicemente i tuoi sentimenti senza giudizio o analisi. Abbandona il passato e il futuro e concentrati solo sul minuto presente. I sistemi di cura possono essere potenti in questo momento.

Comincia a guardare i tuoi sentimenti, come se tutto fosse considerato.

Concentrati sulle vibrazioni fisiche che accompagnano i tuoi sentimenti.

Rivela a te stesso che riconosci ciò che stai provando in questo momento.

Avvertitevi che il fatto di sentire qualcosa non significa che sia l'esistenza.

Compiere qualcosa che rinvigorisca almeno una delle tue facoltà.

È inevitabile incontrare sentimenti negativi quando si è esausti e sotto pressione. Questo è il motivo per cui è imperativo occuparsi della tua prosperità fisica e mentale.

Quindi, tenersi lontani dai farmaci che modificano lo stato d'animo, mangiare una routine alimentare giusta e nutriente, ottenere un sacco di riposo di valore, praticare costantemente, limitare la pressione, provare i metodi di rilassamento, ecc.

Connettersi con i propri sensi è uno degli approcci più veloci e diretti per un rapido auto-rilievo. Dovreste esaminare per scoprire quale incitamento basato sul tatto funziona meglio per voi. Avrete anche bisogno di varie tecniche per vari stati d'animo. Ciò che può aiutare quando siete furiosi o fomentati è del tutto diverso da ciò che può aiutare quando siete intorpiditi o scoraggiati. Ecco alcuni piani per iniziare:

Contatto. Se non vi sentite abbastanza, provate a far scorrere acqua fredda o calda sulle vostre mani; tenete un po' di ghiaccio; o afferrate un oggetto o il bordo di un oggetto domestico il più saldamente possibile. Se vi sentite eccessivamente e avete bisogno di calmarvi, provate a pulire o a fare la doccia, ad accoccolarvi sotto le coperte del letto o a coccolarvi con un animale domestico.

Gusto. Nel caso in cui vi sentite insoddisfatti e intorpiditi, fate un tentativo di succhiare delle solide mentine potenziate o delle caramelle, o mangiate gradualmente qualcosa dal sapore eccezionale, per esempio delle patatine all'aceto e sale. Nel caso in cui hai bisogno di calmarti, assaggia qualcosa di mitigante, per esempio, tè caldo o zuppa.

Annusare. Accendete una fiamma, annusate i fiori, tentate una guarigione profumata, spruzzate il vostro aroma preferito, o preparate qualcosa in cucina che abbia un buon odore. Potresti scoprire che reagisci meglio a profumi solidi, per esempio, agrumi, aromi e incenso.

Vista. Concentrati su un'immagine che cattura la tua considerazione. Questo può essere qualcosa nella tua condizione immediata (una vista incredibile, una bella fioritura, una creazione artistica o una fotografia più amata) o qualcosa nella tua mente creativa che immagini.

Suono. Provate a sintonizzarvi su una musica esuberante, a suonare una suoneria o a soffiare in un fischietto quando avete bisogno di una scossa. Per calmarsi, accendete una musica calmante o sintonizzatevi con i richiami rilassanti della natura, per esempio il vento, gli animali alati o il mare. Una macchina del suono funziona in modo ammirevole nel caso in cui non si possa sentire l'articolo genuino.

Suggerimento 3: Migliora le tue capacità relazionali

Nel caso in cui abbiate un problema di personalità borderline, avete probabilmente lottato con la ricerca di associazioni stabili e soddisfacenti con cari, collaboratori e compagni. Questo è dovuto al fatto che avete difficoltà ad avventurarvi all'indietro e a vedere le cose dal punto di vista degli altri. In generale, leggerete male le contemplazioni e i sentimenti degli altri, fraintenderete come gli altri vi vedono, e trascurerete come sono influenzati dalla vostra condotta. Non è tanto che non ve ne possa importare di meno, tuttavia, per quanto riguarda gli altri, avete un grande lato vulnerabile. Percepire il tuo lato vulnerabile relazionale è il passo iniziale. Nel momento in cui smetti di accusare gli altri, puoi iniziare a trovare un modo per migliorare le tue connessioni e le tue attitudini sociali.

Controlla le tue presunzioni

Nel momento in cui sei schiacciato dalla pressione e dall'antagonismo, come sembrano essere regolarmente gli individui con BPD, è tutt'altro che difficile interpretare male le aspettative degli altri. Nel caso in cui siate consapevoli di questa propensione, controllate le vostre presunzioni: piuttosto che saltare a conclusioni (tipicamente negative), pensate a ispirazioni elettive. Per esempio, supponiamo che il tuo complice sia stato improvviso con te al telefono e ora ti senti incerto e apprensivo che abbia perso entusiasmo per te. Prima di dare seguito a queste emozioni:

Fermatevi a pensare alle varie prospettive. Forse il vostro complice sta sentendo la pressione del lavoro. Forse sta avendo una giornata angosciante. Forse non ha ancora bevuto il suo espresso. Ci sono numerose spiegazioni elettive per la sua condotta.

Chiedete all'individuo di spiegare i suoi obiettivi. Probabilmente l'approccio meno difficile per verificare le tue supposizioni è chiedere all'altro individuo cosa sta pensando o provando. Controllare due volte ciò che hanno sottinteso con le loro parole o attività. Piuttosto che chiedere in modo accusatorio, tentare una metodologia più gentile: "Potrei non avere ragione, ma mi sembra che..." o "Forse sono di regola eccessivamente permaloso, ma ho la sensazione che...".

Spegnimento della proiezione

Hai la tendenza a prendere i tuoi sentimenti contrari e a scaricarli sugli altri? Ti scagli contro gli altri quando ti senti male con te stesso? L'input o l'analisi utile ti fa sentire come un'aggressione individuale? Se questo è il caso, potresti avere un problema di proiezione.

Per combattere la proiezione, dovrai capire come applicare i freni, proprio come hai fatto per controllare le tue pratiche avventate. Controlla i tuoi sentimenti e le sensazioni fisiche nel tuo corpo. Osserva le indicazioni di stress, per esempio, polso rapido, pressione muscolare, sudorazione, malessere o stordimento. Nel momento in cui ti senti così, probabilmente andrai all'assalto e dichiarerai qualcosa di cui ti pentirai più tardi. Ritarda e prendi un paio di respiri pieni e moderati. A quel punto chiediti le tre domande che ti accompagnano:

Sono infastidito da me stesso? Mi sento imbarazzato o apprensivo? Sono stressato dall'essere arreso?

Nella remota possibilità che la risposta appropriata sia davvero, prenditi una pausa di discussione. Dite all'altro individuo che vi sentite appassionati e che potreste volere un'opportunità per pensare prima di parlare ulteriormente delle cose.

Assumersi la responsabilità del proprio lavoro;

Infine, è imperativo assumersi la responsabilità per il lavoro che svolgete nelle vostre connessioni. Chiedetevi come le vostre attività possono aggiungere problemi. Come le tue parole e le tue pratiche fanno sentire i tuoi amici e la tua famiglia? Si può dire che state cadendo nella trappola di considerare l'essere individuale come tutto grande o tutto terribile? Se ti sforzi di immaginare la prospettiva degli altri, di assumere il meglio di loro e di diminuire la tua ritrosia, comincerai a vedere una distinzione nella natura delle tue connessioni.

Analisi e trattamento

Ricordate che non potete analizzare il problema della personalità borderline da soli. Quindi, nel caso in cui sentiate che voi o un amico o un membro della famiglia potrebbe essere affetto da BPD, è ideale cercare un'assistenza professionale. Il BPD viene regolarmente scambiato o coperto per condizioni diverse, quindi avete bisogno di un esperto di benessere emotivo per valutarvi e fare un'analisi precisa. Cerca di scoprire qualcuno con esperienza nella diagnosi e nel trattamento del BPD.

L'importanza di trovare il giusto consulente;

L'aiuto e la direzione di uno specialista certificato possono avere un effetto enorme nel trattamento e nel recupero del BPD. Il trattamento può essere uno spazio protetto in cui è possibile iniziare a lavorare sui problemi di relazione e di fiducia e "provare" nuove strategie di adattamento.

Un professionista esperto sarà a suo agio con i trattamenti del BPD, per esempio, il trattamento della condotta persuasiva (DBT) e il trattamento centrato sul modello. Tuttavia, mentre questi trattamenti hanno dimostrato di essere utili, non è sempre importante seguire un particolare approccio di trattamento. Numerosi specialisti accettano che il trattamento settimana per settimana che include l'istruzione sulla confusione, il sostegno alla famiglia e la preparazione delle attitudini sociali e passionali può trattare la maggior parte dei casi di BPD.

È fondamentale richiedere qualche investimento per scoprire un consulente con cui si ha un senso di sicurezza, qualcuno che sembra capirti e ti fa sentire riconosciuto e compreso. Prenditi tutto il tempo necessario per trovare l'individuo perfetto. Sia come sia, quando lo fai, fai una promessa di trattamento. Potresti iniziare a immaginare che il tuo specialista sarà il tuo salvatore, solo per rimanere deluso e sentire che non ha niente da offrire. Ricorda che queste oscillazioni dalla glorificazione al rifiuto sono un effetto collaterale del BPD. Tentate di resistere con il vostro specialista e permettete alla relazione di svilupparsi. Inoltre, ricordate che il cambiamento, per sua natura, è imbarazzante. Se non vi sentite mai a disagio nel trattamento, è probabile che non stiate progredendo.

Cercate di non fare affidamento su un rimedio medico

Anche se numerosi individui con BPD prendono la droga, la verità è che non c'è quasi nessuna esplorazione che dimostri la sua utilità. Inoltre, negli Stati Uniti, la Food and Drug Administration (FDA) non ha affermato alcun farmaco per il trattamento del BPD. Questo non implica che la medicina sia raramente utile - soprattutto nel caso in cui si sperimentino gli effetti negativi di problemi concomitanti, per esempio, la malinconia o la tensione - tuttavia è tutt'altro che un rimedio per il BPD stesso. Per quanto riguarda il BPD, il trattamento è molto più convincente. Bisogna semplicemente dargli tempo. Sia come sia, il vostro medico di base può pensare alla prescrizione se:

Sei stato determinato ad avere sia il BPD che lo scoraggiamento o il problema bipolare, sperimentare gli effetti malati di attacchi di ansia o nervosismo grave, iniziare a fantasticare o avere strane, nevrotiche contemplazioni o sentirsi autodistruttivo o in pericolo di danneggiare se stessi o gli altri

Dove potrebbe andare una persona a chiedere aiuto?

Nel caso in cui non siate sicuri di dove andare a cercare aiuto, chiedete al vostro specialista di famiglia. Altri che possono aiutare sono:

Esperti di benessere emotivo, per esempio, specialisti, terapisti, lavoratori sociali o consulenti di benessere psicologico

Associazioni per il mantenimento del benessere

Il benessere emotivo della rete si concentra

Uffici di psichiatria di cliniche mediche e strutture ambulatoriali

Programmi di benessere emotivo in college o scuole cliniche

Centri ambulatoriali di cliniche mediche statali

Prestazioni familiari, uffici sociali o chiesa

Riunioni di sostegno per compagni

Centri e uffici privati

Programmi di aiuto rappresentativi

Clinica di quartiere e ordini sociali mentali.

Avventurarsi nell'assistenza da soli potrebbe essere difficile. È imperativo capire che, nonostante il fatto che potrebbe richiedere qualche investimento, è possibile mostrare segni di miglioramento con il trattamento.

CONCLUSIONE

Il disturbo borderline di personalità (BPD) è una condizione caratterizzata da problemi di gestione dei sentimenti. I sentimenti possono essere imprevedibili e muoversi improvvisamente, specialmente dall'entusiastica romanticizzazione al fastidio sdegnoso. Questo implica che gli individui che sperimentano il BPD sentono i sentimenti fortemente e per periodi di tempo più ampi, ed è più diligente per loro tornare a uno standard costante dopo un'occasione sinceramente attivante.

Questo può essere causato da una combinazione di fattori che includono il decorso del cervello, il decorso genetico, i fattori ambientali e il trauma infantile tra gli altri.I trattamenti includono la psicoterapia, la farmacoterapia, i farmaci, ecc.

www.ingramcontent.com/pod-product-compliance
Ingram Content Group UK Ltd.
Pitfield, Milton Keynes, MK11 3LW, UK
UKHW021454280225
4809UKWH00041B/516